Agathe Carrières • Colette Dupont

Français • 1er cycle du primaire

Manuel D

CEC
LES ÉDITIONS CEC INC.

8101, boul. Métropolitain Est, Anjou, Qc, Canada H1J 1J9
Téléphone : (514) 351-6010 Télécopieur : (514) 351-3534

Directrice de l'édition
Carole Lortie

Directrice de la production
Danielle Latendresse

Chargée de projet et réviseure
Monique Boucher

Correctrice d'épreuves
Marielle Chicoine

Conception de la couverture
Alibi Acapella

Réalisation graphique
Matteau Parent graphisme
et communication inc.
• Mélanie Chalifour

Illustrations
Chantale Audet
Yves Boudreau
Nicolas Debon
Rogé Girard
Marie Lafrance
Steeve Lapierre
Stéphane Lortie
Céline Malépart
Josée Masse
François Thisdale

Conception des bricolages
Hélène Belley

Conception des activités de la rubrique *Une visite au musée*
Christine Corbeil

Conception des activités de la rubrique *À l'ordinateur avec Marilou*
André Roux

Consultation scientifique
Dominique Croteau, neuropsychologue
Mario Giard, vétérinaire

Les auteures désirent remercier **Chantal Harbec**, enseignante à l'école des Quatre-Vents de la commission scolaire Marie-Victorin, **Lise Labbé**, consultante en didactique du français, et **Ginette Vincent**, conseillère pédagogique à la commission scolaire Marie-Victorin, pour leurs précieuses remarques et suggestions en cours de rédaction.

Dans cet ouvrage, la féminisation des titres de fonctions et des textes s'appuie sur les règles d'écriture proposées par l'Office de la langue française dans le guide *Au féminin*, Les Publications du Québec, 1991.

8101, boul. Métropolitain Est
Anjou (Québec) H1J 1J9

Dépôt légal : 4e trimestre 2000
Bibliothèque nationale du Québec
Bibliothèque nationale du Canada

ISBN 2-7617-1580-2

Imprimé au Canada
4 5 04 03

Sources iconographiques

Légende : (H) Haut – (B) Bas – (G) Gauche – (D) Droite – (C) Centre

p. 4 © E. Honowitz/Stone.
p. 12 © Élise Guévremont.
p. 15-16 Photos provenant de la collection personnelle d'Henriette Major.
p. 16 Cadre : © Artville.
p. 17-18 © Élise Guévremont.
p. 19 Visage de l'enfant : © Réflexion Photothèque/Int'l Stock.
p. 26 © André Laflamme.
p. 27 Tableau : © PhotoDisc.
p. 28 © Wayne Wallingford.
p. 38-39 © Réflexion Photothèque/Zephyr.
p. 41 Joan Miró, *Le grand ordinateur*, 1982. Galerie Maeght, Paris. © Succession Joan Miró/SODRAC (Montréal), 2000.
p. 42-43 © Élise Guévremont.
p. 49-50 © Réflexion Photothèque/P. Ramsey.
p. 53-54 *Katie à la mer.* Direction de la formation générale des jeunes. Commission scolaire Marie-Victorin.
p. 60 (H) Centre d'interprétation de la nature de Boisbriand. (B) © Corel.
p. 62 Centre d'interprétation de la nature de Boisbriand.
p. 63 © PhotoDisc.
p. 68 Pablo Picasso, *Petite fille sautant à la corde*, 1950, Collection Mnam/cci, Centre Georges Pompidou. © Succession Pablo Picasso (Paris)/SODRAC (Montréal), 2000.
p. 72 © Élise Guévremont.
p. 73 Visage d'enfant : © Réflexion Photothèque/Int'l Stock.
p. 80 © PhotoDisc.
p. 84-85 © Élise Guévremont.
p. 86 (H)(G) © PhotoDisc. (H)(D) © René Limoges/Insectarium de Montréal. (C)(B) © Corel.
p. 87 (H) © J. Warden/SuperStock. (B) © Corel.
p. 88 Berthe Morisot (1841-1895), *Le berceau.* © Photo RMN – R.G. Ojeda. Musée d'Orsay, Paris.
p. 98-99 © PhotoDisc.
p. 103 © Dorling Kindersley Ltd.
p. 105-106 © Louise Brissette.
p. 108 © PhotoDisc.
p. 110 © Wayne Wallingford.
p. 115 (H) Pierre Auguste Renoir, *Woman with a Cat.* © National Galery of Art, Washington/SuperStock. (B) © Wayne Wallingford.
p. 116 (H) © Wayne Wallingford. (B) Alberto Giacometti (1901-1966), *Le chat maître d'hôtel.* © Succession Alberto Giacometti/SODRAC (Montréal), 2000. © Musée Christie's, Londres/SuperStock.
p. 123 Visage de l'enfant: Réflexion Photothèque/Camerique.
p. 128 © Élise Guévremont. (Œuvre réalisée par un groupe d'élèves de l'école du Mai.)
p. 129 © Wayne Wallingford.

Pictogrammes des symboles présentés à la page IV :
Crayons : © PhotoDisc (p. 5, 62, 85).
Micro : © PhotoDisc (p. 3, 5, 7, 9, 16, 31, 33, 41, 43, 45, 48, 57, 59, 62, 64, 67, 68, 92, 99, 104, 113, 117, 119, 121).
Feuille : © Artville (p. 11, 14, 25, 35, 37, 40, 51, 64, 72, 79, 87, 88, 90, 95, 99, 102, 114, 121).
Jetons : © PhotoDisc (p. 28, 54, 82, 110, 129).
Photo de la souris de la rubrique À l'ordinateur avec Marilou *:*
© Corel (p. 26, 52, 80, 108, 127).

Depuis le début de l'année,
tu as chanté avec tes camarades et tu as rigolé avec Coquin.
Tu as découvert des artistes et tu as apprivoisé certaines fonctions
de l'ordinateur. Tu as lu et écouté des histoires. Tu as réalisé
des projets. Que de choses nouvelles dans ta tête !
Et ce n'est pas fini… Continue. Nous t'accompagnons.

Table des matières

Voici des symboles qui t'aideront à reconnaître rapidement ce que tu dois faire :

►  Fais un dessin.

►  Communique oralement.

►  Prends une feuille et un crayon.

►  Utilise des jetons.

Grandir

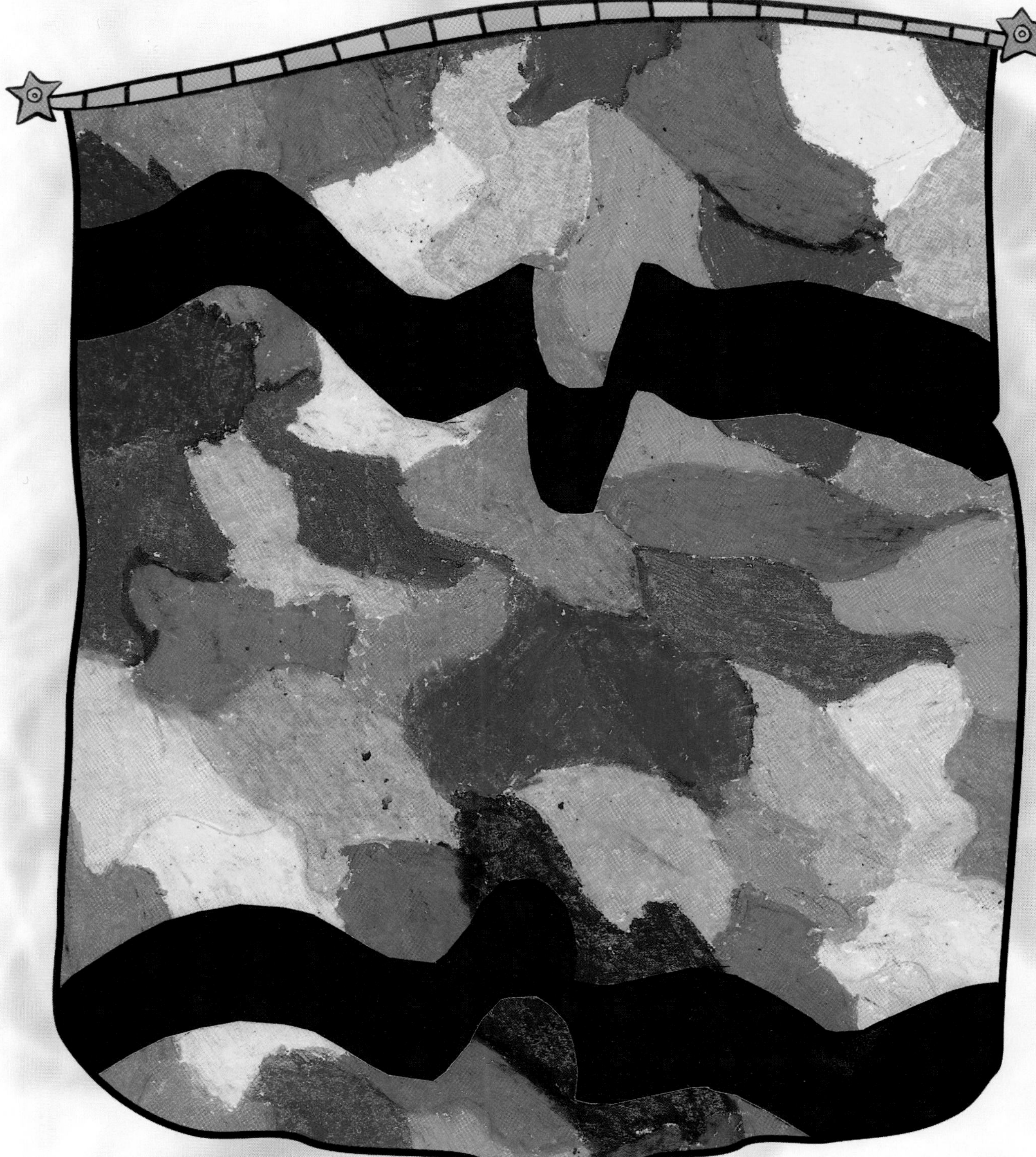

Catherine Chayer, 8 ans

À la manière de Jean-Paul Riopelle

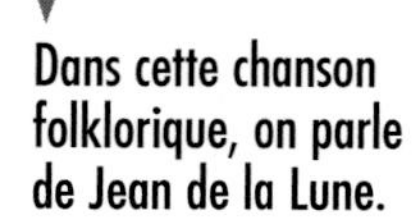

Qui est Jean de la Lune?
Lis le texte de la chanson pour le savoir.

Jean de la Lune

1. Par une tiède nuit de printemps,
il y a bien de cela cent ans,
au beau milieu d'une belle nuit,
tout menu naquit
Jean de la Lune, Jean de la Lune.

2. Quand il n'était qu'un petit bébé,
il ne savait que rire ou pleurer.
Mais, bientôt, il se mit à parler
comme un perroquet,
Jean de la Lune, Jean de la Lune.

3. À l'école, avec tous les enfants,
il devint de plus en plus savant.
Dans une banque, il se fit commis
pour gagner sa vie,
Jean de la Lune, Jean de la Lune.

4. Un peu plus tard, il se maria.
Un jour, il eut un beau petit gars.
Devinez comment il le nomma :
comme son papa !
Jean de la Lune, Jean de la Lune.

5. Quand il mourut, chacun le pleura ;
il était devenu grand-papa.
Et sur sa tombe l'on écrivit
les mots que voici :
Jean de la Lune, Jean de la Lune.

Chanson traditionnelle
Version d'Henriette Major

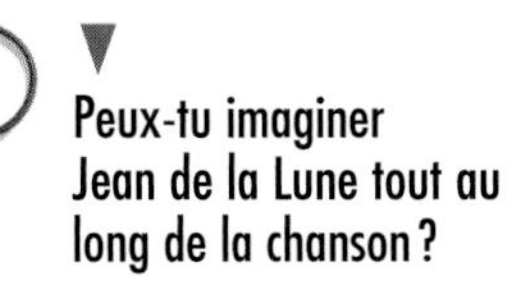

▼ Peux-tu imaginer Jean de la Lune tout au long de la chanson ?

▼ Que remarques-tu en lisant chaque couplet ?

Ali et Marilou sont différents, comme tous les êtres humains sur la terre.

Lis le texte pour découvrir en quoi tu es unique.

Une personne, un corps

Enfants et adultes, garçons et filles sont tous des êtres humains. Leurs corps sont faits de la même façon, mais ils sont tous différents. Deux personnes ne sont jamais exactement pareilles.

Les êtres humains n'ont pas tous la même taille, ni le même visage ou la même couleur de peau. Les corps sont comparables les uns aux autres tout en étant différents. Personne n'est exactement comme toi.

La couleur de nos cheveux, de notre peau ou de nos yeux, la forme de nos oreilles, de notre nez ou de notre menton font que nous nous distinguons les uns des autres.

Les membres d'une même famille se ressemblent plus que les autres. Ils ont souvent les cheveux ou les yeux de la même couleur. Les jumeaux ou jumelles identiques se ressemblent beaucoup.

Un arbre généalogique montre toutes les générations d'une même famille. Une génération est composée de personnes d'à peu près le même âge.

Source : Adapté de *La Grande Encyclopédie*, p. 298-299. © Nathan.

En équipes de deux, comparez en quoi vous vous ressemblez et en quoi vous vous distinguez.

Un arbre généalogique, c'est un peu l'histoire d'une famille. Amuse-toi à dessiner ton arbre généalogique.

Comme tous les humains de la terre,
Marilou et Ali ont des besoins.
Lis ce texte pour savoir ce que sont ces besoins.

Pour bien grandir

Pour bien grandir, enfants et adultes ont besoin :

- d'une maison pour dormir et s'abriter,
- de nourriture pour manger,
- d'eau pour boire,
- de respect,
- d'amitié et de câlins.

Les enfants et les adultes,
une fois qu'ils ont mangé, bu, dormi,
qu'ils sont à l'abri dans leur maison,
et qu'ils sont sûrs de l'affection
de ceux qui les entourent,
ont besoin de temps...
Besoin de temps
pour rester ensemble, pour parler,
pour s'échanger des nouvelles,
pour apprendre à se connaître,
pour communiquer entre eux.

Personne ne doit être offensé, humilié, mis à l'écart, grondé sans motif, caressé quand il ne le veut pas. Même Astuce, s'il ne veut pas qu'on le caresse, il l'exprime.

Source : Adapté de *Dessine-moi l'amour*, p. 12-13. © Éditions Magnard, Paris, 1996, pour la traduction française.

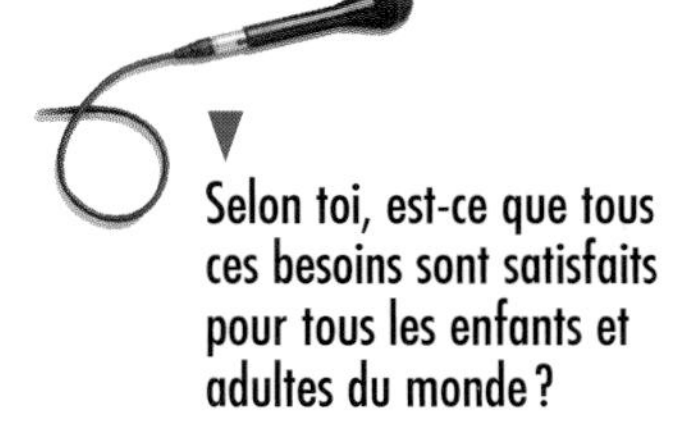

Selon toi, est-ce que tous ces besoins sont satisfaits pour tous les enfants et adultes du monde ?

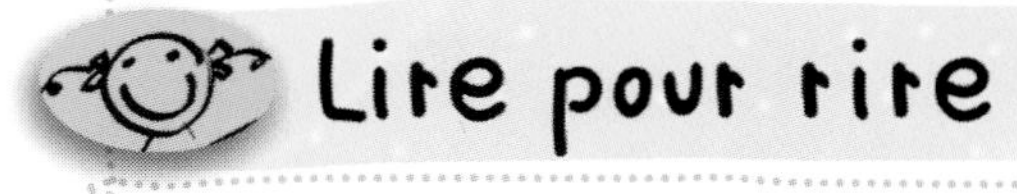

Plus on grandit, plus on sait des choses. Il y a un grand ordinateur qui se trouve en dedans de toi. Que connais-tu à son sujet ?

Marilou te présente le cerveau. Lis le texte pour en apprendre davantage sur ce merveilleux ordinateur.

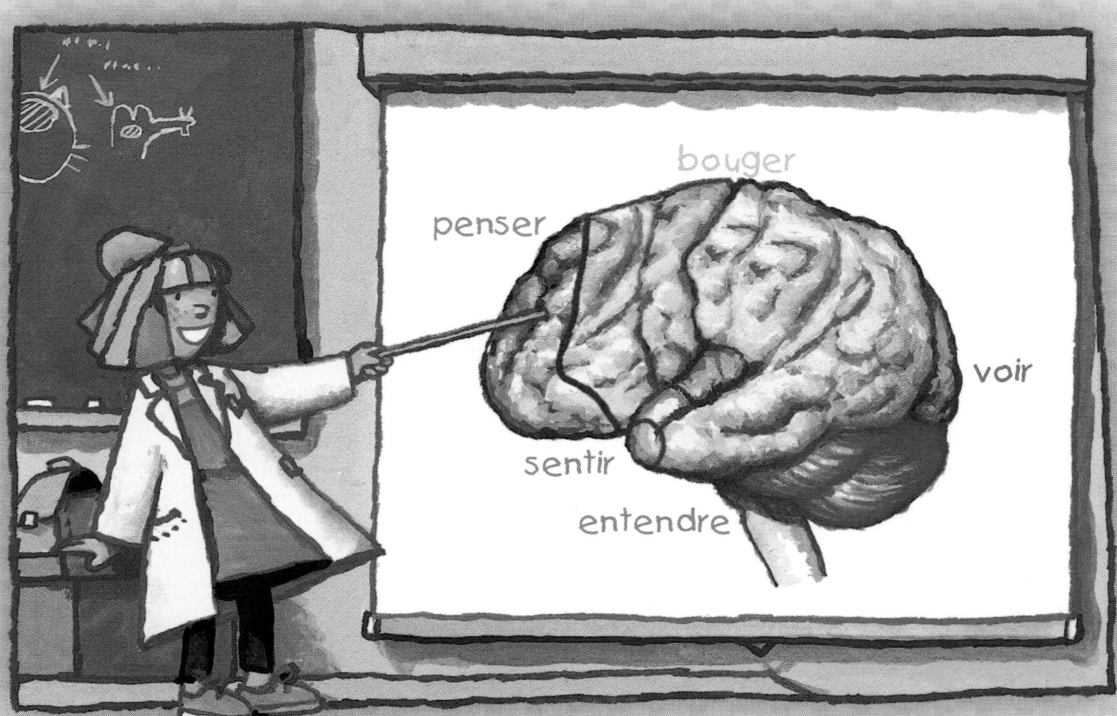

Le cerveau, cette merveille !

À six ans, ton cerveau a la même taille que celui d'une personne adulte ! Il a à peu près la grosseur d'un pamplemousse. Il est protégé par la boîte crânienne. C'est le centre de contrôle de ton corps. Tes sens lui envoient de l'information sur ce qui t'entoure. Ton cerveau commande à ton corps ce qu'il doit faire.

C'est l'ordinateur de ton corps : il te permet de penser, de bouger, de voir, d'entendre, de sentir et de faire bien d'autres choses. Il veille même à des fonctions auxquelles tu ne penserais pas, comme celles de respirer ou de faire battre ton cœur.

Ton cerveau reçoit une grande quantité d'informations. Il classe ce que tu apprends. Comme à la bibliothèque, chaque information a sa place. Cela t'est utile quand tu apprends de nouvelles choses. Même si la taille de ton cerveau ne change plus, il y a toujours assez de place pour y ajouter de l'information.
Tu emmagasineras des millions d'éléments d'information au cours de ta vie.

Ton cerveau, c'est aussi un peu comme un album de photos de tes souvenirs. Tu y retrouves des événements importants de ta vie, tes joies et tes peines, et même tes idées. C'est grâce à ton cerveau que tu peux poser des questions et y répondre. C'est lui qui commande tes gestes et tes paroles.

Quel merveilleux ordinateur, ce cerveau !

À quoi Marilou compare-t-elle le cerveau ? Pourquoi sait-on plus de choses à mesure qu'on grandit ?

Le sommeil nous permet parfois de voyager au pays des amours et des amitiés. Grandir, c'est aussi... tomber amoureux ou amoureuse, un jour !

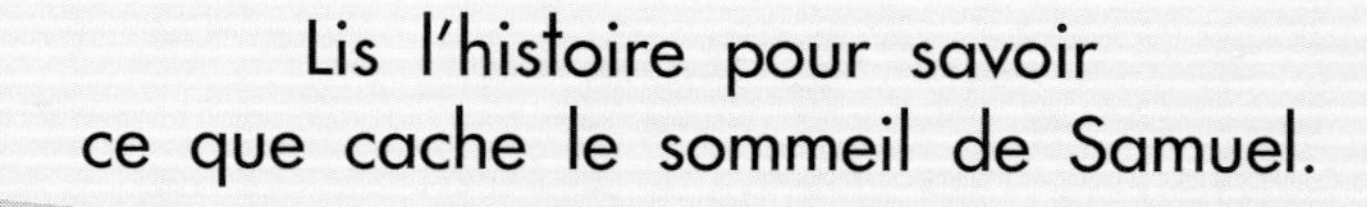

Lis l'histoire pour savoir ce que cache le sommeil de Samuel.

Le sommeil de Samuel

Il avait huit ans. Il s'appelait Samuel et il en avait assez de faire des cauchemars toutes les nuits. Il fallait absolument qu'il réussisse à les éliminer de son sommeil. La dernière fois et la plus terrible, il avait rêvé qu'un pou vivait dans son oreille.

– Je l'entendais parler, cet horrible pou ! dit Samuel à son amie Florence. Il parlait très fort et disait qu'il allait s'installer ici, pondre une famille et y vivre heureux jusqu'à la fin de ses jours. C'est toujours comme ça, la nuit, Florence... Je ne veux plus. Je n'en peux plus !

– Il doit pourtant y avoir une façon d'empêcher les cauchemars de surgir la nuit, dit Florence, songeuse.

– Je n'y arriverai jamais !

– Tu dois absolument réussir, sinon c'est trop affreux, déclare enfin Florence.

Samuel avait aussi rêvé qu'il lui poussait des dents si grosses qu'il n'arrivait plus à fermer la bouche. Il y avait eu aussi le rêve des caribous carnivores qui voulaient manger des côtelettes de garçon, celui des zèbres violonistes qui jouaient tellement fort que ses oreilles en tombaient.

– Toi, tu fais des cauchemars ? demande Samuel à Florence.

Elle rougit brusquement et détourne la tête.

– Tu rêves de quoi ? Dis-moi, supplie Samuel. Ça me donnerait peut-être des idées.

– La nuit dernière... la nuit dernière, j'ai rêvé de toi ! murmure Florence avant de s'enfuir en courant.

Le cœur de Samuel bat tout à coup d'une étrange façon. « Florence... », voudrait-il murmurer à son tour.

Ce soir-là, lorsqu'il sent ses paupières s'alourdir, Samuel sourit. Il a réussi, il le sent déjà ! L'image de Florence, les yeux de Florence, la voix de Florence flottent autour de son cœur. Il n'y a plus d'espace désormais pour les cauchemars...

Christiane Duchesne

▼ Il y a toutes sortes de rêves, ceux qu'on veut oublier et ceux qu'on voudrait ne jamais voir se terminer. Écris l'histoire d'un de tes rêves.

L'an dernier

– Lou-Qian, ma grande, va te coucher, dit ma mère.
Il est déjà dix-neuf heures trente.
– Vas-tu venir me donner un bisou ?
– Bien sûr. Prends un livre en m'attendant.

L'an dernier, chaque soir, ma mère me lisait une histoire. Cette année, je peux lire toute seule. Un petit peu seulement. Je trouve ça moins difficile qu'avant.

J'ai choisi une histoire de raton laveur.
– J'arrive ! crie maman de la cuisine.

Je commence à lire sans elle. Mon ami le raton laveur fait des ravages sur un terrain de camping. Il renverse les poubelles. Il répand des déchets partout. Il entend du bruit et il s'enfuit dans la forêt.

Surprise ! C'est mon père qui arrive.
– C'est à mon tour ce soir de lire avec toi.
– Oh ! oui, papa ! On va lire chacun une page.

Robert Soulières

Je comprends ce que je lis

1. a) Nomme les personnages de l'histoire.
   b) Où se passe cette histoire ?
   c) Écris l'indice qui te permet de dire que cette histoire se passe le soir.

2. a) Qui annonce à Lou-Qian qu'il est l'heure d'aller se coucher ?
   b) Que fait la petite fille en attendant sa mère ?
   c) Que fais-tu le soir avant de te coucher ?

3. a) Qui arrive dans la chambre de Lou-Qian ?
   b) Qu'est-ce que Lou-Qian propose à son père ?
   c) Aimerais-tu être à la place de Lou-Qian ? Pourquoi ?

J'associe des lettres à des sons

affreux	autre	entendre	grosse
apprendre	bruit	grandir	livre
arbre	écrire	gronder	pondre

Je sais orthographier

chaque	fois	lecture	nouvelle
corps	histoire	lettre	ouvrir
couleur	laid	mais	propre
demander	laide	musique	route
devoir	large	nouveau	vite

Pour retenir l'orthographe d'un mot...

Astuce te propose un jeu d'équipe.

1. Formez des équipes de quatre élèves.
2. Écrivez les mots à orthographier sur de petits cartons. Mettez-les dans une enveloppe.
3. Chaque élève doit prendre au hasard un carton dans l'enveloppe.
4. À tour de rôle, demandez à la personne qui est à votre gauche d'épeler le mot écrit sur le carton que vous avez en main. Si sa réponse est juste, remettez-lui le carton. Sinon, gardez le carton après lui avoir signalé son erreur. Puis, prenez un nouveau carton.
5. Celui ou celle qui accumule le plus de cartons gagne la partie.

Je sais écrire

Raconte, en un court texte, une histoire qu'on t'a lue et que tu as beaucoup aimée.

Lis le texte pour découvrir comment un passe-temps peut se transformer en passion.

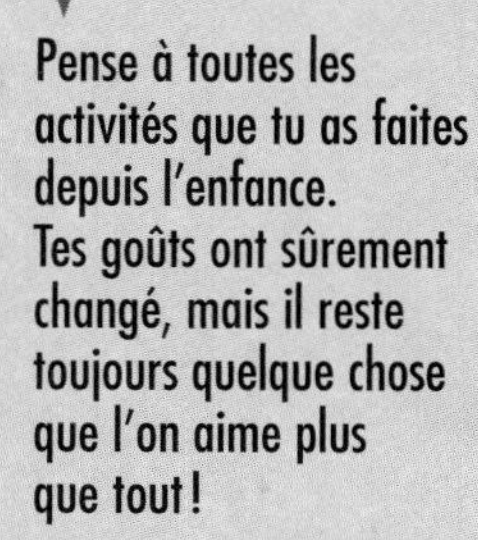

Pense à toutes les activités que tu as faites depuis l'enfance.
Tes goûts ont sûrement changé, mais il reste toujours quelque chose que l'on aime plus que tout !

Le livre et moi

Tu lis ce texte dans un beau manuel tout en couleurs. Quand j'avais ton âge, mon livre de lecture à l'école était en noir et blanc. Malgré son aspect sévère, il a été pour moi un outil magique. J'étais émerveillée ! Je pouvais apprendre des choses et ressentir des émotions simplement en décodant des mots !

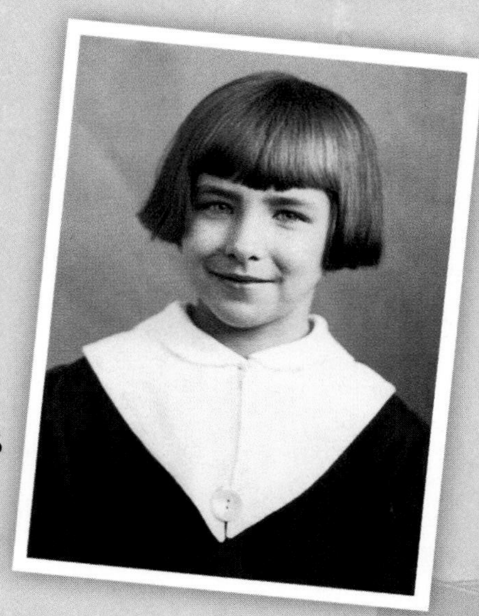

Dès que j'ai su lire comme il faut, je suis devenue une affamée de lecture. Mes parents possédaient une encyclopédie en douze volumes. Je les ai tous lus. Je demandais toujours des livres comme cadeaux d'anniversaire.

À l'adolescence, j'ai fait une trouvaille extraordinaire : les bibliothèques publiques ! Je n'en revenais pas de voir tous ces rayons de livres qui m'attendaient ! J'en empruntais plusieurs à la fois. Le soir, dans notre chambre,

j'attendais que mes sœurs s'endorment, puis j'allais m'asseoir par terre devant le rai de lumière entrant par la porte entrouverte. Je lisais en déplaçant lentement mon livre devant ce mince pinceau lumineux.

Devenue adulte et mère de famille, j'ai, bien sûr, lu des histoires à mes enfants. Puis j'en ai inventé. En plus de continuer à lire des textes écrits par d'autres, j'en écrivais moi-même. J'avais adopté le beau métier d'auteure.

Aujourd'hui, je suis grand-mère. Bien sûr, ma petite-fille Marion lit tous mes livres, même si elle connaît déjà les histoires. Pourquoi ? Parce qu'elle les a entendues avant qu'elles ne soient publiées.

Henriette Major

▼ Comment Henriette Major a-t-elle découvert sa passion pour l'écriture ?

▼ As-tu, comme Marion, une auteure ou un auteur préféré ? Parles-en aux élèves de ta classe.

Ali a représenté sur des assiettes de carton les différentes étapes de la vie. Imagine des membres de ta famille qui correspondent à chacun des groupes d'âge donnés.

L'histoire d'une vie en cinq épisodes

1 Les bébés pleurent et dorment beaucoup. Ils apprennent très rapidement à parler, à marcher à quatre pattes et, plus tard, à courir.

2 Les jeunes enfants apprennent surtout en jouant avec les membres de leur famille et avec d'autres enfants. Une fois à l'école, les enfants apprennent à lire, à écrire et à compter. Ils et elles découvrent l'amitié.

3 Les enfants deviennent des adolescents et des adolescentes. Leur personnalité s'affirme. Ce n'est pas toujours facile d'être bien dans ce corps qui change.

4 Les adolescents et les adolescentes deviennent des adultes. Souvent, les adultes travaillent. Ces hommes et ces femmes pourront former un couple et, à leur tour, fonder une famille.

5 Après avoir travaillé très fort, les personnes âgées disposent enfin de temps pour se distraire et pour se reposer.

Associe à un épisode un membre de ta famille : une sœur, une cousine, un oncle… Fais un bricolage de chacune de ces personnes. En petites équipes, partage ton matériel.

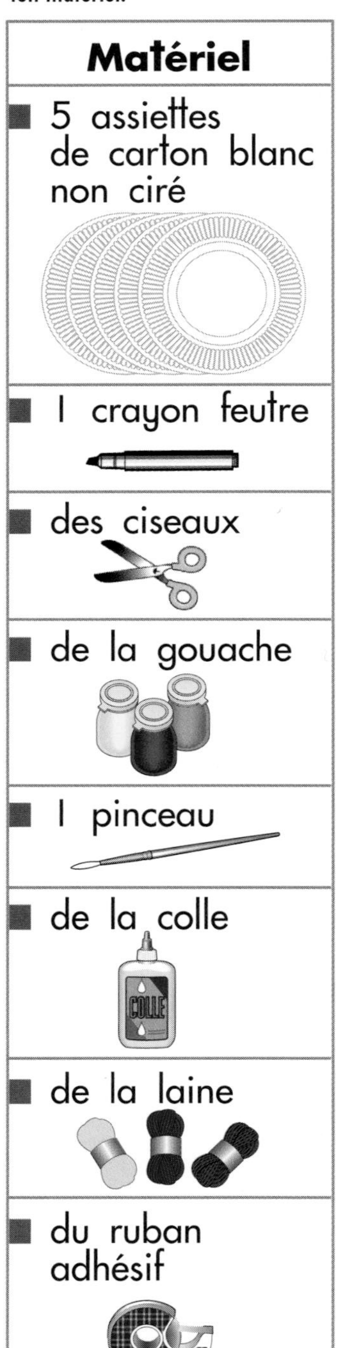

Lis le texte pour apprendre comment créer tes propres assiettes.

Ma famille en cinq épisodes

Marche à suivre

1. Écris au bas de chaque assiette le nom de la personne associée à l'épisode.
2. Trace le contour de la tête de cette personne.
3. Découpe ton dessin.
4. Peins le visage avec de la gouache et laisse sécher.
5. Colle des cheveux.
6. Procède de la même façon avec la deuxième personne, et ainsi de suite.
7. Assemble les cinq assiettes, de la personne la plus âgée à la plus jeune, avec du ruban adhésif.

Présente maintenant tes créations aux autres élèves de ta classe.

8:00
Québec

21:00
Corée du Sud

Le mariage de la petite souris, un conte coréen présenté par Mi-Wha

Le mariage de la petite souris

Au nord du pays du Matin Calme se trouvait un grand rocher. Le peuple des souris y avait creusé de nombreuses pièces, des chambres, des couloirs, bordés de jardins merveilleux. La reine des souris habitait dans les plus beaux appartements de cet immense rocher.

Un jour d'été, la reine mit au monde douze petits : onze souriceaux et une jolie petite souricette. Des centaines de souris accoururent de toutes parts pour lui apporter des cadeaux. Et le peuple des souris dansa toute la nuit dans la grande salle de bal, éclairée par la lune et par mille vers luisants.

Les souriceaux grandirent et la petite souris devint si jolie que sa mère annonça à son peuple :

– Ma souricette est la plus belle princesse de la terre. Elle épousera celui qui est le plus puissant du monde.

– Qui est le plus puissant ? demanda une vieille souris.

– Peut-être le chat, chuchota un souriceau.

– Ou peut-être l'homme, murmura son voisin.

La vieille souris hocha la tête :

– Les hommes se tuent entre eux, les tigres n'en font qu'une bouchée et les éclairs les foudroient. Non, l'homme n'est pas le plus puissant du monde.

– Alors, c'est le soleil, dit le premier ministre. Sans lui, il n'y aurait pas de vie sur la terre.
– Tu as raison, dit la reine des souris.

Le lendemain, la reine et sa souricette quittèrent le palais, juste avant l'aube. Les premiers rayons du soleil apparurent… Qu'ils étaient brûlants ! La petite souris se réfugia à l'ombre des fleurs pendant que sa mère s'adressait au soleil :
– J'ai juré de donner pour mari à ma fille le plus puissant du monde. C'est pourquoi je te demande de l'épouser.
– Merci, ô reine, dit le soleil. Hélas, le nuage que tu vois là-bas est plus puissant que moi.

En effet, le nuage noir glissa devant le soleil. Les fleurs tremblèrent de froid et la petite souris grelotta. Alors la reine des souris se tourna vers le nuage :
– J'ai juré de donner pour mari à ma fille le plus puissant du monde. C'est pourquoi je te demande de l'épouser.
– Merci, ô reine, dit le nuage noir. Hélas, le vent est plus puissant que moi. Il me pousse où bon lui semble.
Le vent se mit à souffler et il emporta le nuage vers l'horizon. Les feuilles s'envolèrent, les troncs d'arbres s'inclinèrent et la souricette se mit à l'abri dans un trou de rocher.

N'écoutant que son courage, la reine salua le vent et dit :
– J'ai juré de donner pour mari à ma fille le plus puissant du monde. C'est pourquoi je te demande de l'épouser.
– Ah ! ah ! se moqua le vent en faisant tourbillonner la reine des souris. Ce grand rocher est plus puissant que moi, car je n'ai jamais pu l'ébranler.

La reine laissa le vent s'éloigner, puis elle s'adressa au rocher où vivait son peuple :
– J'ai juré de donner pour mari à ma fille le plus puissant du monde. C'est pourquoi je te demande de l'épouser.
– Je ne suis pas le plus puissant, dit le rocher. Les souris qui me rongent jour et nuit sont bien plus fortes que moi.

Très fière, la reine rentra dans son palais. Elle s'assit sur son trône et déclara :
– L'époux de ma souricette sera le souriceau le plus courageux de notre peuple, car il est sans doute plus puissant que le soleil, le nuage, le vent et notre rocher.

C'est ainsi qu'au pays du Matin Calme, la petite souris épousa le plus courageux des souriceaux du grand rocher, et ils vécurent longtemps heureux.

Le grand Florent

Comme tous les garçons de son âge, Florent grandit. Il ne s'en rend pas compte, mais il grandit. Assis sur son lit dans sa chambre, Florent se souvient. Au début de l'hiver, il a ouvert une armoire et il a enfilé de vieux vêtements. Mais ses pieds n'entraient plus dans ses bottes. Sa tuque lui serrait la tête. Son beau manteau décoré d'un ours polaire était trop petit.

Il se souvient qu'il a vite mis le manteau, la tuque, les gants et les bottes de son grand frère. Chaudement habillé, il s'est élancé dehors. Il a roulé des boules de neige et il en a fait des bonshommes... des bonshommes beaucoup plus grands que ceux qu'il faisait l'hiver dernier.

Voilà à quoi Florent pense devant la fenêtre de sa chambre à regarder tomber les flocons. Il tourne la tête et voit la marque sur le mur. Elle indique qu'il a grandi de quatre centimètres depuis l'an dernier. Incroyable !

Et l'hiver prochain, Florent aura sans doute encore grandi...

Gilles Tibo

Je comprends ce que je lis

1. a) Cette histoire se passe en quelle saison?
   b) Où est Florent? à l'intérieur ou à l'extérieur de la maison?

2. a) Dessine Florent comme tu l'imagines à la fin du premier paragraphe.
   b) Dessine Florent comme tu l'imagines à la fin du deuxième paragraphe.

3. a) Repère et écris quatre indices qui te permettent de déduire que Florent a grandi.
   b) De combien de centimètres Florent a-t-il grandi en un an?
   c) Et toi, as-tu grandi autant que Florent?

J'associe des lettres à des sons

bibliothèque	encyclopédie	pamplemousse	plus
classe	oncle	plancher	ressembler
couple	oublier	pleurer	terrible

Je sais orthographier

devant	face	loup	quand
devenir	figure	louve	rêver
dormir	grand-maman	même	tante
douce	grand-papa	oncle	voici
doux	heure (h)	place	voilà

J'en apprends plus sur l'adjectif

► J'observe les mots soulignés dans la phrase suivante :
Son beau manteau décoré d'un ours polaire était trop petit.

► Je remarque que :
- l'adjectif précise comment est un être ou une chose. Certains adjectifs donnent une qualité (ex. : *son beau manteau*) ; d'autres indiquent une sorte d'êtres ou de choses (ex. : *un ours polaire*).
- l'adjectif est un mot variable : il peut changer de forme selon le nom qu'il accompagne (ex. : *un petit manteau ; des petites bottes*).

Je sais écrire

En quelques phrases, décris les vêtements que tu portes pour jouer dans la neige. Ajoute quelques adjectifs pour préciser ta pensée.

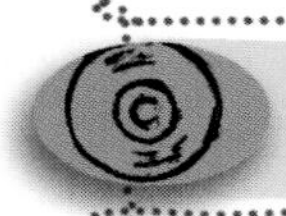

À l'ordinateur avec Marilou

Mon arbre généalogique

Marilou t'invite à bâtir ton arbre généalogique. Tu pourras y placer ton nom, ta date et ton lieu de naissance ainsi que ceux de tes parents et grands-parents.

Mon cerveau

Tous les jours, tu fais des activités, tu vis des émotions, tu découvres de nouvelles choses. Découvre quelles parties de ton cerveau te permettent de vivre toutes ces expériences.

Les épisodes d'une vie

Marilou est songeuse aujourd'hui. Elle se pose des questions sur son avenir. Sa vie ressemblera-t-elle à celle de ses parents ou de ses grands-parents ? Et toi, comment envisages-tu ta vie future ?

Grandir, c'est vieillir un peu

Sans trop t'en rendre compte, tu grandis. Ton corps change. Pense un instant à tout ce que tu as appris depuis ta naissance. Grandir, c'est vieillir un peu chaque jour. Au cours de ce projet, tu devras répondre à une question que tu te poses sur les changements de ton corps.

En grand groupe

Quelles questions vous posez-vous sur les changements de votre corps ? Que voulez-vous connaître ? Qu'est-ce qui vous intéresse ?

Voici quelques-unes des questions soulevées dans la classe de Marilou et d'Ali.

Pourquoi la peau ride-t-elle ?

Pourquoi je perds mes dents ?

Pourquoi meurt-on un jour ?

Pourquoi j'ai de plus en plus de taches de rousseur ?

Pourquoi mon père a-t-il des cheveux blancs ?

Formez des petites équipes en fonction de votre intérêt pour une des questions soulevées dans votre classe.

En petites équipes

1. Formulez votre question clairement. Écrivez-la sur un carton.
2. Anticipez une réponse possible à votre question. Écrivez votre hypothèse sur le carton.
3. Cherchez une réponse (par l'observation, l'enquête, la manipulation de matériel, la lecture...).
4. Notez les résultats de vos recherches sur le carton (à l'aide de tableaux, de dessins ou de phrases simples).
5. Comparez votre hypothèse avec les résultats de cette recherche.
6. Présentez votre démarche et les résultats de votre recherche aux autres élèves de la classe (question, hypothèse, collecte d'information, conclusion). Affichez votre carton.

Individuellement

Évalue ton travail.

Je suis capable de trouver de l'information et de l'exprimer dans mes mots.

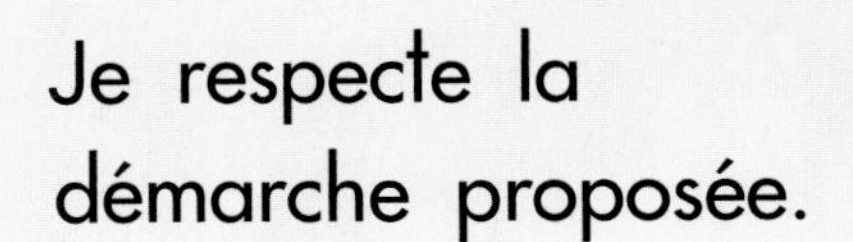

Je respecte la démarche proposée.

J'ai l'impression de mieux me connaître.

L'ordinateur, une machine fantastique

Delphine Bélanger, 8 ans

À la manière de Miró

Voir s'éloigner une personne que l'on aime, c'est triste. Heureusement, il y a différentes façons de rester en contact avec quelqu'un, de lui faire signe.

Lis le texte pour découvrir différentes façons de faire signe à quelqu'un.

Fais-moi signe

1. Fais-moi signe avec ta main,
ou bien souris-moi de loin.
Moi, je te souffle un bisou
parce que je t'aime beaucoup.

2. Je te dessine une fleur
décorée d'un petit cœur.
Esquisse-moi ton portrait
et la maison où tu es.

3. Écris-moi un petit mot,
ajoutes-y ta photo.
Si tu m'inventes un poème,
je te répondrai de même.

4. Donne-moi un coup de fil,
si court et si fou soit-il.
Je m'ennuie de toi, tu vois.
Je veux entendre ta voix.

5. Et si, comble de bonheur,
un jour, mon ordinateur
communique avec le tien,
nous serons comme voisins.

Henriette Major

De quels moyens de communication est-il question dans le texte ? Lequel de ces moyens aimes-tu le plus utiliser ? Pourquoi ?

▼
Il y a cinquante ans, les premiers ordinateurs étaient d'énormes machines réservées aux savants et savantes. Aujourd'hui, les ordinateurs sont partout. As-tu une idée de tout ce que l'on peut faire avec un ordinateur?

Lis le texte pour découvrir, avec Sam et Web, les différentes fonctions de l'ordinateur.

Le monde sur ton bureau

Tu peux discuter avec ton ami Akinori, qui habite au Japon, grâce à Internet et à une caméra spéciale.

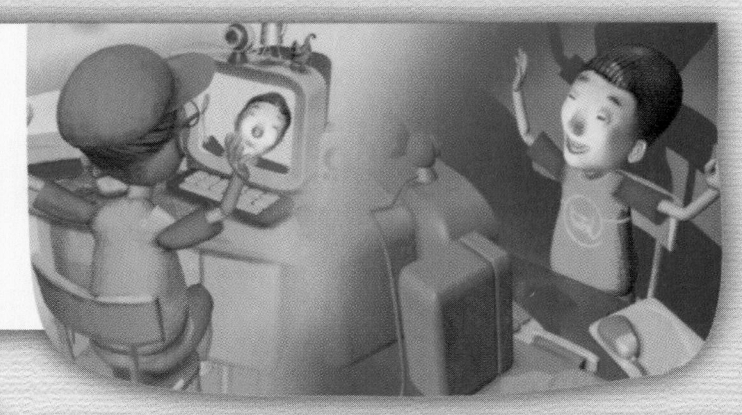

Tu sais, tu peux faire plein d'autres choses avec ton ordinateur. Suis-moi, tu n'es pas au bout de tes surprises...

Génial, ce jeu...

Tu peux envoyer des messages et en recevoir grâce à Internet.

Tu peux rechercher des informations, voir des photos et des vidéos du monde entier sur Internet.

Avec un ordinateur, Sam peut faire le tour du monde sans bouger de son bureau. Pour cela, il lui suffit d'avoir les bons programmes et les bons outils.

Tu peux faire de la musique, puis l'écouter, grâce aux programmes qui reproduisent le son des instruments.

Tu peux consulter une encyclopédie sur cédérom pour tout savoir sur les Amérindiens et Amérindiennes, par exemple.

Tu peux créer un journal grâce à un programme pour les textes, un numériseur pour les images et une imprimante.

Internet
C'est un réseau qui relie des ordinateurs du monde entier grâce au téléphone ou au câble. C'est le modem, souvent placé dans le boîtier de l'ordinateur, qui permet de se brancher.

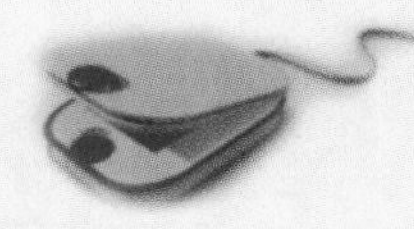

Le numériseur
C'est une machine qui fait entrer des dessins et des photos dans l'ordinateur. Ensuite, on peut les imprimer sur du papier.

Source : Adapté d'*Astrapi*, n° 492, septembre 1999, p. 17-19 (texte : C. Muscat ; ill. : C. Proteaux). © Bayard Presse, Paris.

À ta façon, dis ce que tu comprends des mots écrits en bleu dans le texte.

De l'invention de la radio à celle de l'ordinateur, que de progrès accomplis ! Dans Internet, tu trouves plein d'informations.

D'où provient l'information que l'on trouve dans Internet ?

Des correspondants

Le courrier électronique est une manière de correspondre par l'intermédiaire d'Internet.

Des spécialistes

Sur le réseau, tu peux parler avec des scientifiques de partout. C'est ainsi qu'un groupe d'élèves a pu un jour communiquer avec les astronautes d'une navette spatiale en plein vol.

Des bibliothèques

Il y a beaucoup à lire dans les bibliothèques reliées à Internet.

L'information que l'on trouve dans Internet vient de partout ! Le réseau Internet est constitué par des ordinateurs reliés entre eux, formant une véritable toile d'araignée mondiale. Son objectif principal est de permettre aux gens de partager de l'information. Cela veut dire que tous ceux qui possèdent un ordinateur peuvent afficher de l'information.

De nouveaux amis

Avec ton ordinateur relié à Internet, tu peux te faire de nouveaux amis n'importe où dans le monde.

D'anciens amis

Si un ami a déménagé loin de chez toi, tu as toujours la possibilité de jouer avec lui sur Internet.

Du bout du monde !

Le réseau Internet est un réseau mondial reliant tous les continents du globe. Même le pôle Sud est relié à Internet !

Écris un petit mot à une personne que tu aimes. Pour un courrier presque instantané, utilise ton ordinateur !

Source : *Les enfants découvrent... d'où ça vient ?*, p. 24-25.

As-tu déjà remarqué que l'ordinateur est utilisé par des gens de tous les âges? Observe les personnes autour de toi. Pourquoi utilisent-elles l'ordinateur, d'après toi? Et toi, pourquoi t'en sers-tu?

Lis le texte pour découvrir comment Riri se sert de l'ordinateur.

Riri à l'ordi

– Baleine à puces!

– Ça ne va pas, grand-papa? demande Riri.

– C'est le tapis de la souris. Il est bien trop petit. Je suis arrivé au bord. Je ne peux plus faire avancer la flèche.

Riri rit.

– Tu n'as qu'à soulever la souris et la déposer ailleurs sur le tapis. Comme ça.

Riri lui montre.

– Bof! Ça m'énerve trop. Je m'en vais.

Ça tombe bien, comme devoir, Riri doit faire une recherche sur le sirop d'érable. Il utilisera Internet. Riri tape sa question. Le nombre de sites où il est question des érables apparaît à l'écran. Le nombre est si gros que Riri ne parvient même pas à le lire. Zut! Il lui faudra des années pour tout voir!

– J'ai besoin de l'ordinateur. T'en as pour longtemps ? fait sa grande sœur Lulu en entrant.
Riri explique son problème.
– Je vais t'aider, ça ira plus vite.
Un peu plus tard, Riri a toute l'information qu'il lui faut : la culture des érables, la récolte de la sève, la fabrication du sirop. La maîtresse veut aussi une recette.
– Demande à maman, suggère Lulu.
– Elle rentrera trop tard. Elle travaille ce soir.
– Envoie-lui un message au bureau.
Bonne idée ! Riri le fait. Maman doit être branchée, car la réponse arrive presque aussitôt. C'est une recette qu'elle tient de sa grand-mère : des « pets-de-sœur au sirop d'érable ».
– Des pets sucrés ?
Lulu lui explique que c'est une sorte de beigne. Riri ne peut s'empêcher de rire en pensant à ce nom bien spécial.
– Quelle drôle de recette ! Enfin, la maîtresse sera contente !

Jean-Pierre Davidts

Qui vient en aide à Riri ? De quelle manière ces personnes lui viennent-elles en aide ? Et toi, où préfères-tu faire des recherches ?

Le rendez-vous

Un soir, nous étions à la maison, mes frères, ma mère et moi. On s'occupait chacun dans son coin. Tout à coup, mon père entre en trombe dans la maison. Il est 18 heures 45.

– Ça n'a plus de sens ! nous dit-il.

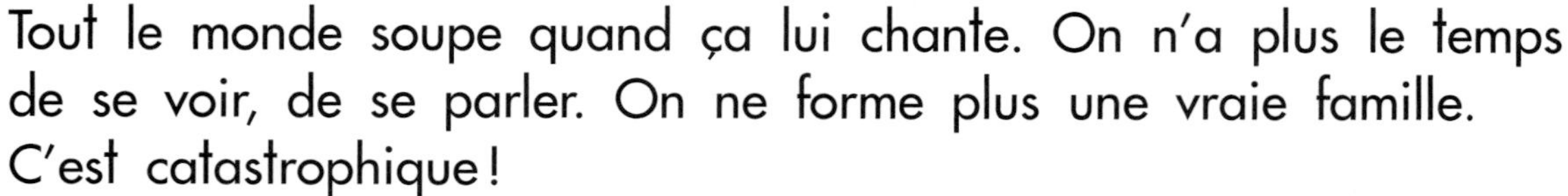

Tout le monde soupe quand ça lui chante. On n'a plus le temps de se voir, de se parler. On ne forme plus une vraie famille. C'est catastrophique !

Alors, Jean prend la parole.

– Tu as raison, papa, dit-il. J'aimerais ça qu'on soit tous ensemble le soir, autour de la table, pour se raconter nos journées.

– Moi, je ne suis pas d'accord, ajoute Olivier. Pour souper avec papa, à 19 h, je devrais manquer certaines de mes émissions préférées.

Moi, Ingrid, j'hésite. D'un côté, j'aimerais qu'on soupe ensemble à 19 h. De l'autre, je sais que l'ordinateur est libre à cette heure-là.

Alors papa nous propose quelque chose :

– Que diriez-vous de souper tous ensemble, demain… au restaurant ? Je vous y invite tous.

– C'est une merveilleuse idée ! s'écrie maman. C'était d'ailleurs à mon tour de faire la vaisselle, ajoute-t-elle en riant.

Le souper au resto fut très agréable. Depuis ce soir-là, à l'heure du souper, on se retrouve tous ensemble autour de la table, à se raconter nos journées. Et papa est très content.

Robert Soulières

Je comprends ce que je lis

1. a) Où se passe l'action au début de l'histoire?
   b) Que font les enfants au début de l'histoire?
2. a) Qui entre dans la maison?
   b) Quel est le problème?
3. Que pense chacun des enfants du problème soulevé par le père?
   a) Jean.
   b) Olivier.
   c) Ingrid.
4. Que propose le père?
5. Pourquoi le père est-il content à la fin de l'histoire?

Je révise des sons

ailleurs	énerver	Internet	rechercher
bonheur	fleur	lecteur	servir
cœur	intérieur	ordinateur	sœur

Je sais orthographier

cher	ensuite	jouer	pouvoir
chère	fleur	loin	que
cœur	image	monde	qui
couleur	joli	mot	sœur
enfin	jolie	papier	tout

Pour retenir l'orthographe d'un mot...

Astuce te propose un jeu d'équipe.

1. Un membre de l'équipe donne une phrase en dictée aux autres.
2. Après avoir écrit la phrase, les membres de l'équipe se consultent. Ils doivent s'entendre sur l'orthographe de chaque mot.
   Ils peuvent consulter leur mini-dictionnaire.
3. L'élève qui a donné la dictée vérifie si ce que les autres ont écrit est correct.

Je sais écrire

Rappelle-toi une soirée de fin de semaine en famille que tu as beaucoup aimée. En quelques phrases, décris cette soirée. Puis, lis ton texte aux autres élèves de ta classe. Écoute les textes des autres. Dresse une liste des différentes activités mentionnées.

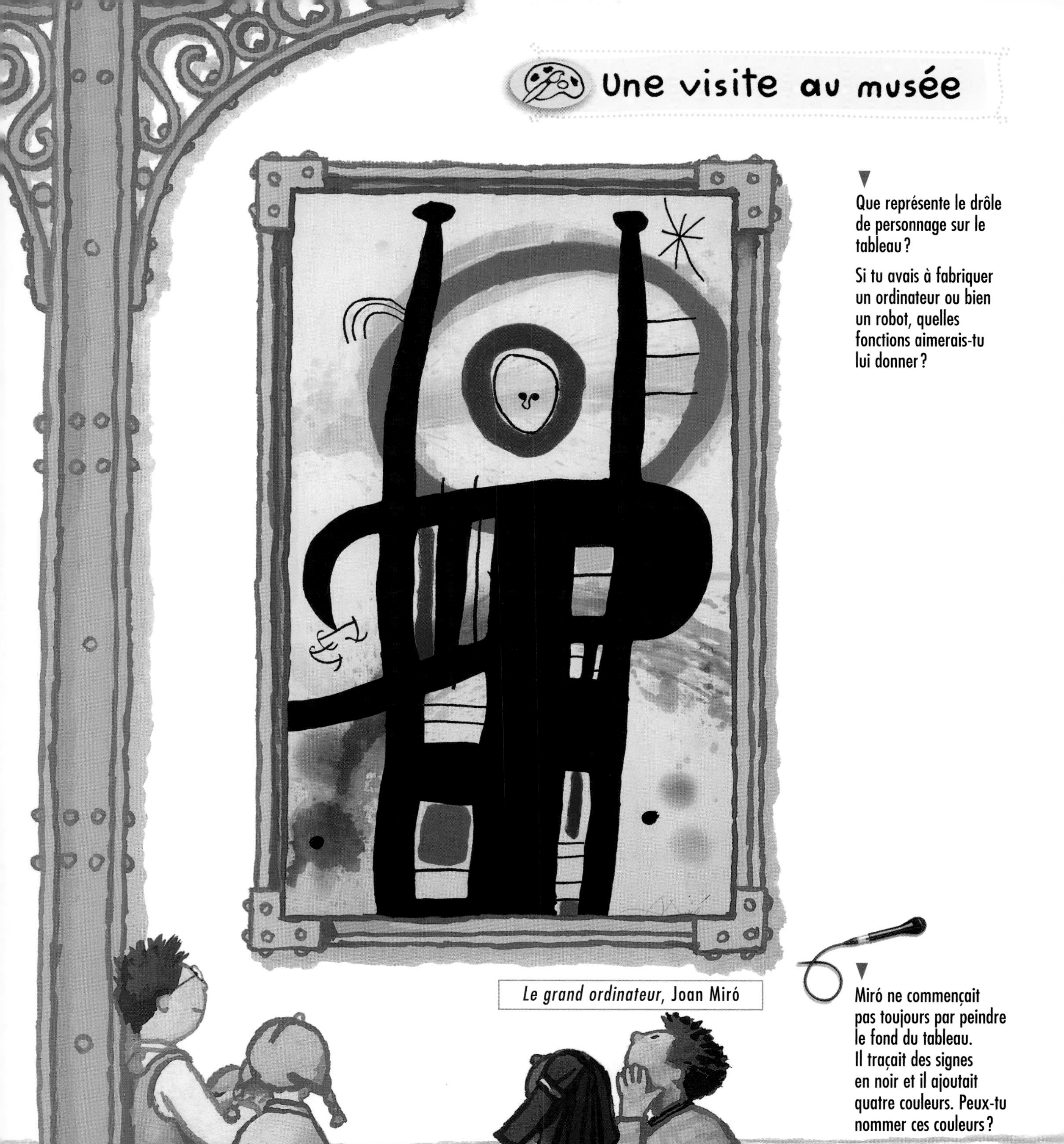

Une visite au musée

Le grand ordinateur, Joan Miró

Que représente le drôle de personnage sur le tableau ?

Si tu avais à fabriquer un ordinateur ou bien un robot, quelles fonctions aimerais-tu lui donner ?

Miró ne commençait pas toujours par peindre le fond du tableau. Il traçait des signes en noir et il ajoutait quatre couleurs. Peux-tu nommer ces couleurs ?

Que contient cette boîte mystérieuse avec laquelle tu apprends, tu t'amuses et tu communiques ?

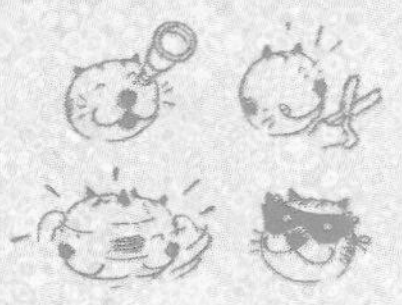

Lis le texte pour en connaître un peu plus sur l'ordinateur.

À l'intérieur de l'ordinateur

Qu'est-ce qu'il y a à l'intérieur ?

Si l'on ouvrait un ordinateur personnel, on ne découvrirait ni génie, ni lutin, ni magicien à l'intérieur ! À vrai dire, le boîtier de l'ordinateur renferme une diversité de petites pièces. Il s'agit du mécanisme de l'ordinateur.

L'ordinateur ne réfléchit pas, ne pense pas. C'est une espèce de robot qui obéit à des instructions. Pour donner des ordres à cette machine, on utilise la souris et le clavier qui parlent la langue de l'ordinateur.

Le vrai cerveau de la machine

L'ordinateur est un outil que l'être humain a inventé pour l'aider dans son travail. On l'a dit : il n'est pas capable de penser. Il se contente de suivre les instructions données par des programmeurs ou programmeuses. Sans ces personnes, sans leur cerveau, l'ordinateur ne serait qu'un banal tas de ferraille !

Mon ordinateur a des puces !

L'ordinateur ne servirait à rien s'il oubliait ce qu'il est capable de faire. Heureusement, il a une mémoire qui conserve les instructions données par les programmeurs ou programmeuses.

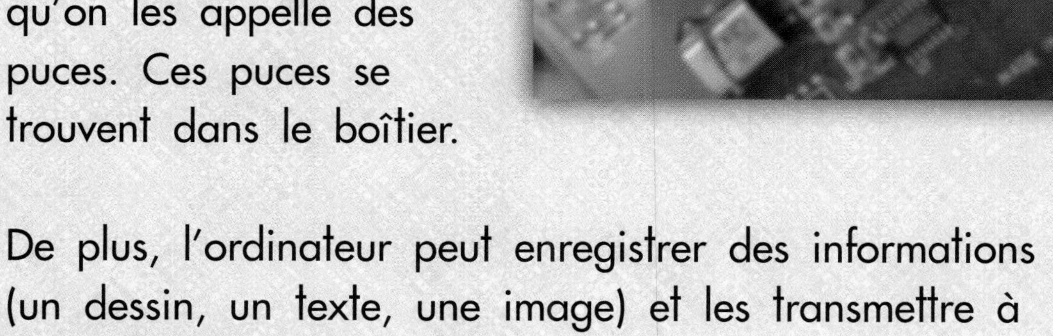

Beaucoup d'instructions sont imprimées sur des plaquettes si minuscules qu'on les appelle des puces. Ces puces se trouvent dans le boîtier.

De plus, l'ordinateur peut enregistrer des informations (un dessin, un texte, une image) et les transmettre à d'autres ordinateurs.

Les puces ont envahi le monde !

Tout autour de nous, d'autres appareils contiennent des puces. Par exemple les robots industriels, les commandes des avions, les freins et les coussins gonflables des autos, les jeux vidéo, les baladeurs...Oui, les puces sont partout !

Sylvain Trudel

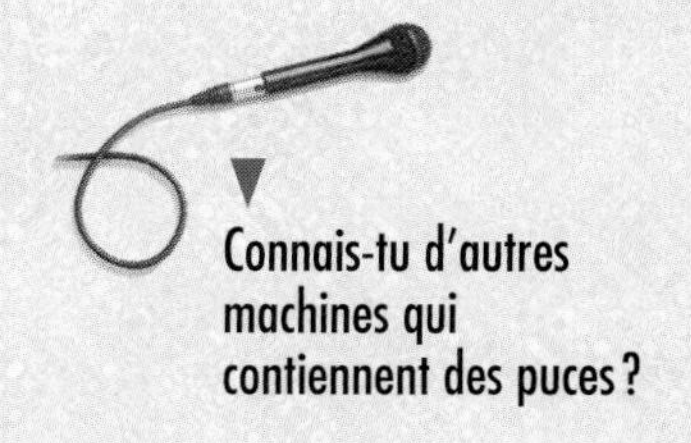

Connais-tu d'autres machines qui contiennent des puces ?

▼
Un mot peut avoir plusieurs sens. Pense, par exemple, au mot *puce*.

Lis le texte pour découvrir la différence entre la puce biologique et la puce électronique.

Pik et Clik

Elles sautent. Hop ! Hop !
Hop ! Hop ! Elles stoppent.

– Salut ! Qui es-tu ?

– Je suis Pik, la puce biologique,
pas sympathique et pas comique,
mais athlétique et colérique.
Je pique, je pique, je pique.

Salut ! Qui es-tu ?

– Je suis Clik, la puce électronique,
microscopique et électrique,
en plastique, automatique.
Je clique, je clique, je clique.

Salut ! Où vis-tu, Pik ?

– Sur les toutous et les minous,
les tatous, les sapajous,
les hiboux, les marabouts.
Comme tu vois, je suis partout !

Salut ! Où vis-tu, Clik ?

– Dans la télé et la radio,
l'ordinateur et le frigo,
les robots, même ton auto.
Avec moi, tout marche au trot !

Au revoir. Où vas-tu, Pik ?

– Piquer un chien, un vieux lapin,
un bandit de grand chemin.
J'ai faim, j'ai faim, j'ai faim.

Au revoir. Où vas-tu, Clik ?

– Faire voler un avion,
chauffer une grande maison.
Travaillons, travaillons.

Jean-Pierre Davidts

En équipes de deux, amusez-vous à relire le texte à voix haute en jouant le rôle des puces.

Il y a des jours où l'on ne sait pas très bien ce que la météo nous réserve : de la neige, de la pluie ou du verglas ! Comment occupes-tu ton temps lorsque la journée est maussade ?

Lis pour savoir ce que font Zoé et ses amis pour s'amuser.

Dans le noir

La fée, le géant, le robot et le dragon cherchent le trésor. Ils doivent s'en emparer avant les pirates. Ce n'est pas facile. Il y a des pièges partout et les pirates sont très malins.

– Je sais où il est ! rugit le dragon.

– Par là ! répond la fée.

Le géant applaudit. Le robot, lui, ne dit rien. Il suit ses compagnons dans le marécage, en évitant les flaques d'eau pour ne pas se rouiller les pieds. Le trésor ! Le voilà ! Vite, vite ! C'est une course contre la montre, car les pirates arrivent.

Soudain, plus rien. Le noir. Panne d'électricité!
– Flûte! s'exclame Zoé. On avait presque gagné.
Sans courant, les ordinateurs ne fonctionnent pas.
– Qu'est-ce qu'on fait maintenant? soupirent ses amis.
– Jouons à autre chose, propose Greta.
Thomas grogne:
– Tu connais un jeu aussi intéressant, toi? Avec une fée, un géant, un robot, un dragon et des pirates?
C'est vrai, ce doit être difficile à trouver.
– Moi, j'en connais un! s'écrie Miguel.
Les autres le regardent, étonnés.

– Hein ! Lequel ?
Il leur montre la bibliothèque.
– Là-dedans. Il y a de tout dans les livres : des monstres, des fantômes, des chevaliers. On n'a qu'à choisir un personnage et lire ce qu'il fait.
– On ne verra rien, dit Zoé.
– Il suffit d'allumer une lampe de poche. Ce sera encore plus drôle. Les livres n'ont pas besoin d'électricité pour fonctionner, eux. Ton imagination suffit.

Jean-Pierre Davidts

▼ Peux-tu raconter cette histoire dans tes mots ?

▼ Comment aurais-tu réagi à la place des enfants ?

Lire pour rire

Le bonhomme de Félicia

Ce matin, il fait trop froid pour jouer dehors. Tout excitée, Félicia s'installe devant l'ordinateur. Ses doigts habiles dansent sur le clavier. L'écran s'illumine. Félicia appuie sur quelques touches et, tout heureuse, elle commence à dessiner avec la souris. Un grand cercle apparaît au bas de l'écran. Elle en dessine un autre, puis encore un autre. Elle coiffe les trois cercles d'un joli chapeau, ajoute un balai, dessine une carotte, trace deux petits points pour les yeux et ajoute un immense sourire.

– Wow ! s'écrie Félicia. C'est le plus beau dessin du monde !

En souriant, Félicia ajoute à la scène des enfants, une grande maison et quelques flocons. Elle écrit son nom sous le dessin et l'imprime aussitôt. Puis, en vitesse, elle épingle son chef-d'œuvre sur le mur de sa jolie chambre.

– Enfin, un bonhomme de neige qui ne fondra pas au printemps !

Gilles Tibo

Je comprends ce que je lis

1. a) Retrouve le nom de trois parties de l'ordinateur dans le texte. Écris-les.
   b) Dessine ce que Félicia voit sur son écran.

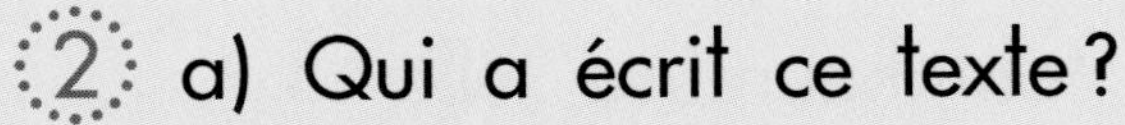

2. a) Qui a écrit ce texte ?
   b) Pour t'aider à te faire des images bien précises, l'auteur utilise des adjectifs. Peux-tu en retrouver quelques-uns ?

3. Écris sur une feuille les différents éléments du dessin selon leur ordre d'apparition à l'écran.

un balai	un cercle	un chapeau	un nom
une carotte	des enfants	une maison	des flocons
un sourire	des yeux		

Je révise des sons

appelle	dessiner	information	partout
autour	espèce	mur	quelque
dehors	illuminer	parle	vitesse

Je sais orthographier

air
arbre
carte
chercher
cour
dernier
dernière
parfois
parler
personne
table
vous

J'en apprends plus sur le féminin des adjectifs

► J'observe les mots soulignés :

– *un joli chapeau*
– *une jolie chambre*
– *un grand cercle*
– *une grande maison*

► Je remarque que :

- l'adjectif peut être masculin (ex. : *joli, grand*) ou féminin (ex. : *jolie, grande*).
- en général, on ajoute un « e » à l'adjectif masculin pour obtenir l'adjectif féminin :
  – *joli* → *jolie*
  – *grand* → *grande*
- c'est le nom auquel il se rapporte qui détermine la forme de l'adjectif.

Je sais écrire

1. À l'aide de l'ordinateur, dessine un personnage ou un objet. Imprime ton dessin.
2. Compose une devinette. Colle-la à l'arrière du dessin.
3. Affiche ton œuvre sur un mur de la classe, côté texte.
4. Demande aux élèves de la classe de deviner ce que tu as dessiné.

Les photos de Marilou

Marilou veut utiliser l'ordinateur pour retoucher des photos. Elle devra suivre une série d'étapes pour y arriver. Guide Marilou dans son travail.

Qui fait quoi ?

Fais un petit sondage dans ta classe. Qui a un ordinateur personnel à la maison ? Quel usage en font-ils ? Présente tes résultats sur un graphique.

Une histoire en cinq temps

Pour cette activité, tu feras équipe avec un ou une camarade de ta classe. En alternance, puis ensemble, vous aurez à produire une histoire. Ce projet d'écriture sera assez long à réaliser. Tu devras t'assurer de sauvegarder ton travail chaque fois que tu auras terminé une section de l'histoire.

Un petit livre de lecture

On peut faire plein de choses avec un ordinateur. Au cours de ce projet, tu devras te servir de l'ordinateur pour créer un petit livre de lecture.

Marilou te présente quelques pages d'un des jolis petits livres que deux classes de premier cycle ont créés.

Kalie est dans son sous-sol. Elle est couchée sur son sofa. Elle regarde par la fenêtre et c'est le printemps. L'horloge indique midi. Elle allume la télévision et est surprise. Elle a gagné 10 000 dollars pour s'acheter une auto pour aller à la mer.

Elle descend et voit les mouettes se diriger vers la mer. Elle se dit: "Que c'est magnifique!" Elle aperçoit au loin des beaux baleaux. Mais soudain, en regardant avec ses jumelles, elle remarque que l'un des baleaux est un baleau de pirates... Kalie se dit qu'ils doivent chercher leur trésor.

Elle se cache. Tout à coup, les pirates la voient. Ils l'emmènent dans le baleau. Elle est prisonnière des pirates. Ils lui demandent où est le trésor. Elle dit aux pirates qu'elle ne sait pas où il est. Les pirates ont eu une idée. Ils demandent à Kalie de les aider à retrouver le trésor, sinon ils la jetteront aux requins. Kalie n'a pas le choix, elle accepte.

En grand groupe

Imaginez le personnage principal des livres de lecture que vous créerez. Donnez-lui un nom. Divisez la classe en groupes de deux. Jumelez deux groupes pour la rédaction d'un petit livre. Ainsi, chaque équipe sera constituée de deux groupes de deux élèves : le groupe 1 et le groupe 2. Chaque équipe devra créer sa propre histoire mettant en vedette le personnage principal choisi en grand groupe.

Discutez des personnes qui pourraient vous aider pour la correction des textes et la mise en pages.

En petites équipes

1. Ensemble, décidez des personnes que vous consulterez si vous avez besoin d'aide. Informez-les.
2. Donnez un titre à votre histoire.
3. Un membre de l'équipe illustre la première page et écrit le titre.
4. Le groupe 1 compose le début de l'histoire, corrige son texte, l'illustre et le transcrit à l'ordinateur.
5. Le groupe 2 propose une suite à l'histoire, l'illustre et la transcrit à l'ordinateur.
6. Le groupe 1 continue l'histoire, l'illustre et la transcrit à l'ordinateur.
7. Le groupe 2 termine l'histoire, l'illustre, la transcrit à l'ordinateur.
8. Ensemble, assemblez le petit livre.
9. Présentez votre livre. Exposez-le avec ceux des autres élèves.

Individuellement

Évalue ton travail.

Je suis capable de comprendre un texte et d'inventer la suite d'une histoire.

J'utilise différents moyens pour corriger mon texte.

J'utilise l'ordinateur pour transcrire mon texte.

Module 18

Notre belle Terre

Léa Corbeil, 7 ans

À la manière de Picasso

Et si on chantait…

▼
La nature est belle, l'eau de la fontaine est claire, mais on peut quand même avoir le cœur triste…

Lis les paroles de cette chanson pour découvrir la cause d'un grand chagrin.

À la claire fontaine

1. À la claire fontaine
m'en allant promener,
j'ai trouvé l'eau si belle
que je m'y suis baigné.

Refrain :
Il y a longtemps que je t'aime,
jamais je ne t'oublierai.

2. Sous les feuilles d'un chêne,
je me suis fait sécher ;
sur la plus haute branche,
le rossignol chantait.

3. Chante, rossignol, chante,
toi qui as le cœur gai.
Tu as le cœur à rire,
moi, je l'ai à pleurer.

4. J'ai perdu mon amie
sans l'avoir mérité,
pour un bouquet de roses
que je lui refusai.

5. Je voudrais que la rose
fût encore au rosier
et que ma douce amie
fût encore à m'aimer.

Chanson traditionnelle

Imagine que tu te promènes près de la fontaine. En te référant au texte, décris cette promenade : que vois-tu ? qu'entends-tu ?

Regarde dans ton environnement. À quels signes reconnais-tu l'arrivée du printemps ? Écris ces signes sur une feuille.

Lis le texte pour découvrir d'autres signes du printemps.

Les hirondelles font le printemps

Le coq grimpe sur la clôture et crie : Cocorico ! Comme réveillé par ce cri joyeux, le soleil se lève au bout des champs. C'est la naissance du jour et je suis déjà dehors, avec les moineaux. Le ciel est rose, vert et bleu, et je suis émerveillé. Que les matins sont beaux ! Que j'aime le printemps !

De la buée sort de ma bouche, mais voici que les rayons du soleil touchent mon visage. Oui, l'hiver est fini et j'ai le cœur léger ! Le sang dans mes veines se réchauffe, comme la sève dans les arbres. J'entends la musique des ruisseaux. Les bourgeons éclatent sur les branches et les parfums de la terre

me chatouillent le nez. Je sens la douceur du vent dans mes cheveux. Oh ! Les hirondelles sont arrivées : perchées sur les fils, elles ressemblent à des épingles à linge.

J'ai hâte de revoir les pissenlits, qui ont la couleur des petits lions, et les marguerites, qui s'ouvriront comme des yeux en battant des cils. Bientôt, les libellules, les sauterelles et les papillons envahiront les prés. Les grillons chanteront dans l'herbe, les abeilles feront leur miel et les vaches brouteront le trèfle dans les champs. Et moi, j'irai cueillir des fraises sauvages avec mes parents. Nous mangerons tant de petits fruits que nous aurons la langue toute rouge ! C'est un autre beau printemps. Que je suis heureux !

Sylvain Trudel

▼ Compare les signes du printemps que tu peux observer dans ton environnement avec ceux dont on parle dans le texte.

▼ Donne des raisons d'aimer le printemps.

Selon toi, que fait une ou un naturaliste ?

Ali et Marilou ont rencontré Nathalie Juteau, naturaliste dans un centre écologique. Lis l'entrevue qu'ils ont réalisée pour toi.

Nathalie Juteau, naturaliste

Bonjour, Nathalie, peux-tu nous dire quel est le rôle d'une naturaliste ?

Mon rôle est de recevoir les enfants et les adultes au centre écologique. Je prépare, par exemple, différentes activités pour les groupes d'élèves. Mon but est de leur faire découvrir les secrets de la nature. J'essaie aussi de leur faire comprendre ce qu'est un écosystème.

En fait, qu'est-ce qu'un écosystème ?

C'est un milieu où vit tout un ensemble d'animaux et de végétaux. Chaque élément, vivant ou non vivant (sol, air, eau, soleil), y joue un rôle précis et a une influence sur les autres. C'est un peu comme ta main : elle dépérirait si elle était détachée du reste de ton corps. Chaque forme de vie trouve dans le milieu ce dont elle a besoin.

Peux-tu nous donner des exemples en te servant d'éléments qui se trouvent ici, au centre écologique ?

Avec plaisir, suivez-moi !

- Certains oiseaux, comme la paruline, se nourrissent d'insectes. Ils aident donc à limiter le nombre d'insectes dans la nature.
- L'écureuil cache des graines pour se nourrir durant l'hiver. Au printemps, certaines graines oubliées donneront de jeunes arbres.
- Les crottes du cerf de Virginie aident à fertiliser le sol.
- La chouette se nourrit de rongeurs et contribue ainsi à limiter leur population.
- Les champignons aident l'arbre mort à se décomposer. En se décomposant, l'arbre nourrit la terre et la végétation tout autour.

Quels conseils voudrais-tu donner à tous ceux et celles qui visitent un centre écologique ?

Prenez le temps d'observer la nature, de sentir ses odeurs, d'écouter ses bruits. Assurez-vous aussi de bien lire les panneaux d'information. Ils vous donneront des conseils sur la façon de profiter pleinement de votre visite. Ils pourront de plus vous souligner les interdictions.

Merci beaucoup Nathalie !

Où trouve-t-on un écosystème dans ta région ? Explique de quoi il est composé.

Si tu devais reproduire un écosystème dans ta cour ou dans ta maison, comment t'y prendrais-tu ? Fais un dessin du résultat.

Lis le texte pour découvrir des ennemis de la nature.

Ah ! Dame Nature, si belle et si fragile ! Pourquoi dit-on que la nature est fragile ?

Protéger la nature

Dans les villes

L'air est pollué par les gaz d'échappement des voitures et par la fumée des usines. La pollution empêche certaines personnes de bien respirer, par exemple les bébés.

La mer, une poubelle !

Il y a des usines, des bateaux et des personnes qui jettent dans la mer des produits très dangereux pour les poissons et les oiseaux.

Gare aux engrais !

Les engrais font pousser les plantes plus vite. Mais ils peuvent polluer les rivières, tuer les poissons et rendre l'eau du robinet imbuvable.

Que faire des déchets ?

Les gens jettent leurs ordures dans les poubelles. Mais où mettre ces déchets ? Dans la nature, ils prennent du temps à disparaître.

Récupération

Certains déchets peuvent être réutilisés ou recyclés : les objets en verre et en métal, le papier et le plastique. Aujourd'hui, on se sert des poubelles et des bacs de récupération pour trier ce que l'on jette.

Devinette

Souvent, on me croit bleue, mais je suis transparente. On me trouve presque partout. Sans moi, les êtres humains, les animaux et les plantes mourraient. Qui suis-je ?

L'eau.

Conseils pour protéger la nature

Ne casse pas les branches des arbres.

Après un pique-nique, ramasse tout ce qui reste.

Ne laisse pas couler l'eau du robinet quand tu te brosses les dents.

Il vaut mieux marcher que prendre la voiture.

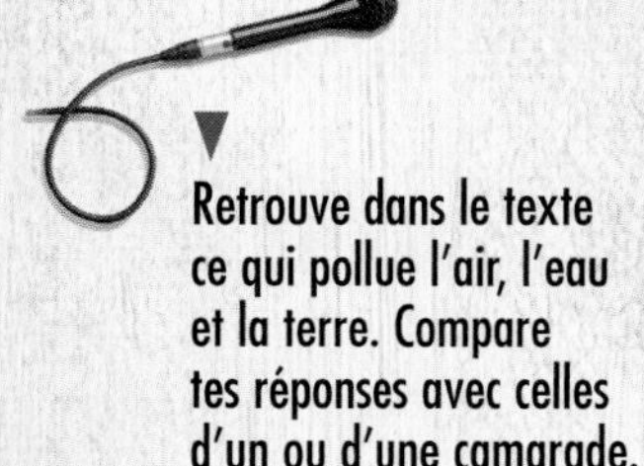

▼ Retrouve dans le texte ce qui pollue l'air, l'eau et la terre. Compare tes réponses avec celles d'un ou d'une camarade.

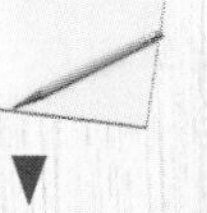

▼ Dans le texte, on donne différents conseils pour protéger la nature. Trouves-en d'autres et écris-les sur une feuille.

Source : Adapté de « Protéger la nature », dans l'*Encyclopédie Brio des petits*, p. 50-51. © Magnard, Paris.

Fou de joie

Quand je vois le ciel bleu
rempli d'oiseaux
qui chantent et qui dansent,

quand j'entends
le bruit du ruisseau
qui murmure à deux pas de chez moi,

quand je sens l'odeur
des feuilles,
la caresse du vent sur mon visage,

quand je goûte la sève d'érable,
qui coule dans ma bouche
et sur mes mains,

quand je suis au beau milieu de tout ça,
je deviens fou de joie.

Je contemple ce qui est plus grand que moi.
Je respecte ce qui est plus petit que moi.
Et le soir, en regardant les étoiles
qui filent à vive allure,
je fais le vœu que la terre soit belle et éternelle.

Robert Soulières

Je comprends ce que je lis

1. a) Que vois-tu en lisant la première strophe?
   b) Qu'entends-tu en lisant la deuxième strophe?
   c) Que sens-tu en lisant la troisième strophe?

2. Remplace le mot souligné par un ou d'autres mots et donne un nouveau sens à la phrase.
   a) Je <u>contemple</u> ce qui est plus grand que moi.
   b) Je <u>respecte</u> ce qui est plus petit que moi.

3. a) Nomme deux éléments qui te font aimer la nature.
   b) Quel vœu fait l'auteur du texte?

Je révise des sons

athlète	mathématique	orchestre	Thomas
chorale	méthode	psychologue	vœu
Christine	nœud	théâtre	

Je sais orthographier

à côté	côté	jardin	pluie
autre	eau	lever	soleil
campagne	encore	lire	vent
chaud	finir	merci	vie
chaude	homme	montagne	ville

Pour retenir l'orthographe d'un mot...

Astuce te propose un jeu d'équipe.

1. Écris de mémoire tous les mots étudiés qui te font penser au thème de l'environnement.
2. Enrichis ta liste en la comparant avec celle d'autres élèves.
3. Vérifie ensuite si tout ce que vous avez trouvé est exact.
4. Refais la même activité en choisissant un autre thème.

Je sais écrire

Ferme les yeux et imagine une promenade dans la nature. Tu respires de bonnes odeurs. Tu sens le vent sur ta peau. Tu écoutes le chant des oiseaux. Tu goûtes aux fruits des champs. Tu te couches sur le sol. Tu regardes le ciel. Tu voudrais crier au monde entier que la terre est belle. Écrivons ensemble un poème pour mettre en mots les images qui nous viennent en tête.

Tu as déjà entendu parler de recyclage. C'est un moyen de protéger la nature. Nomme des objets que tu peux recycler.

Savais-tu que de très grands artistes se servaient d'objets recyclés pour créer des sculptures ? Lis le texte pour connaître quelques secrets d'un artiste célèbre, Pablo Picasso.

Picasso, un as du recyclage

Picasso était un peintre génial, et aussi un sculpteur plein de fantaisie. Une selle et un guidon de vélo ? Picasso en a fait une tête de taureau. Une petite voiture ? Picasso l'a mise sur le cou d'un babouin. Un panier, deux vieux souliers et du carton ondulé ? Picasso a bricolé une petite fille sur une corde à sauter.

Source : *Astrapi*, n° 477, janvier 1999, p. 20 (texte : P. Martin ; ill. originales : C. Proteaux). © Bayard Presse, Paris.

Qu'est-ce qui t'a le plus surpris dans ce texte ?

Consulte des livres d'art pour admirer d'autres œuvres de Picasso.

Lire pour rire

À ton tour maintenant de te transformer en artiste du recyclage…

Toto en carton

Marche à suivre

1 Sépare les deux moitiés de l'épingle à linge.

2 Colle-les sur les côtés du taille-crayon.

3 Découpe le visage dans le carton ondulé. Découpe ensuite les yeux et le nez. Puis, dessine la bouche.

4 Enfonce une extrémité du coton-tige dans le carton ondulé. Remplis le taille-crayon de pâte à modeler. Enfonce l'autre extrémité du coton-tige dedans.

5 Taille les deux bouts du crayon. Colle-le sur le taille-crayon. Découpe deux trous dans le tiroir de la boîte d'allumettes. Enfonce les pieds du bonhomme dedans.

Matériel

- 1 épingle à linge en bois

- de la colle

- 1 taille-crayon

- des ciseaux

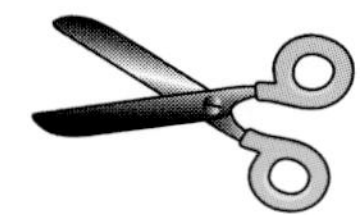

- du carton ondulé

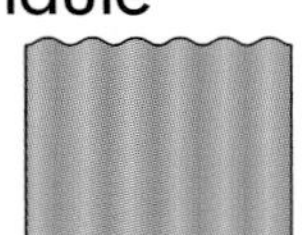

- 1 coton-tige
- de la pâte à modeler

- 1 crayon
- 1 tiroir de boîte d'allumettes

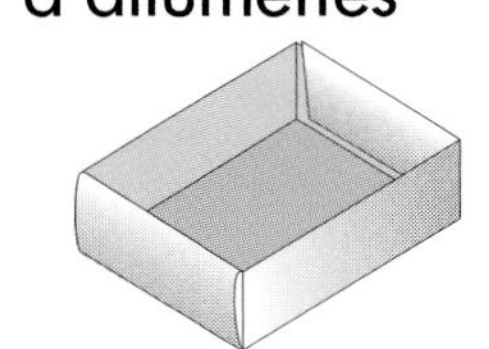

Tu te demandes sûrement quoi faire pour protéger ton environnement. Marilou a bien compris l'importance de la récupération. Lis le texte pour découvrir différents moyens de récupérer.

Des trésors enterrés

Est-ce que la montagne de déchets apparaissant sur cette page te semble différente de la scène de droite ? Regarde de plus près. Plusieurs des éléments de la chambre sont fabriqués à partir d'objets qui auraient pu se retrouver au dépotoir. La maison de poupée près du lit de Marilou, par exemple, est faite de vieilles boîtes de carton. Peux-tu repérer d'autres trésors ?

Réutiliser ce que tu jetterais normalement est une bonne façon de réduire le gaspillage et d'épargner de l'argent. Des bouteilles, des bocaux en verre et des contenants en plastique peuvent être réutilisés pour conserver les aliments et les boissons que tes parents achètent en vrac. Les feuillets publicitaires imprimés d'un seul côté font du beau papier à dessin. Laisse aller ton imagination et invente de nouveaux usages pour les objets mis au rebut.

Voici quelques objets que nous avons fabriqués pour toi :

Enveloppe tes cadeaux dans des retailles de papier peint ou de tissu.

Lave les sacs de lait et utilise-les pour la congélation ou comme sacs à lunch.

Coupe un côté des boîtes de céréales et fais-en des boîtes pour ranger de beaux papiers, des lettres et des magazines.

Range tes collections de petits objets dans de vieux bocaux.

Transforme de vieux gants et de vieilles chaussettes en marionnettes… ou en akis.

▼
Dresse une liste des différents éléments recyclés de ces pages. Ajoutes-y tes suggestions.

Source : Adapté de Beth Savan, *Cycles terrestres et écosystèmes*, p. 84 (trad. de N. Ferron). © Éditions Héritage, Saint-Lambert, 1992. (Version originale : Kids CanPress Ltd.)

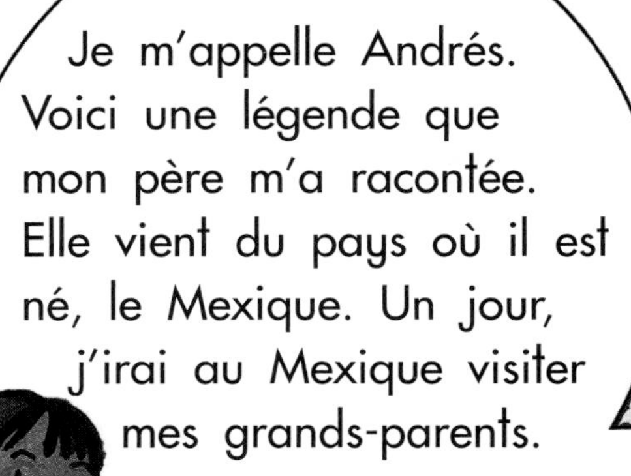

Comment Ah Kin Xooc changea de nom, une légende mexicaine présentée par Andrés

Comment Ah Kin Xooc changea de nom

Il y a bien longtemps, sur Terre, les hommes étaient tristes, et seuls les dieux connaissaient le bonheur. Itzamna, le fils du dieu des dieux Hunab Ku, régnait sur les cieux avec sa femme, la déesse de la Lune Ixchel. Il était bon et, comme il voulait venir en aide aux hommes, il inventa l'écriture et les livres, afin que les habitants de la Terre soient aussi heureux que lui.

Mais les hommes ne changeaient pas et ne se réjouissaient même pas des beautés de la nature. À force d'être tristes, leur visage était ridé, et c'est tout juste s'ils se parlaient. Quand la déesse de la Lune remarqua combien la Terre était silencieuse, elle alla trouver son mari et lui dit :

– Cela ne peut plus continuer ainsi, Itzamna ! Chaque jour j'espère voir les hommes devenir plus gais et leur mélancolie ne fait au contraire qu'augmenter ! De quoi peuvent-ils bien avoir besoin ?

– Si je le savais..., soupira Itzamna.

– Il faut les aider, poursuivit la déesse de la Lune. J'ai l'impression qu'ils n'arrivent ni à sentir ni à comprendre la beauté de la Terre. Rien d'étonnant à ce qu'ils soient tristes !

– Tu as raison, il faut faire quelque chose! Je vais convoquer les dieux, décida Itzamna.
Le lendemain, les dieux se retrouvèrent au pied de l'arbre de vie que le père d'Itzamna avait jadis planté et dont les immenses racines se perdaient aux quatre coins du ciel.
– Les hommes ont besoin de notre aide; ils ne savent pas apprécier les beautés de la Terre et ils ignorent qu'elle pourrait les rendre heureux, dit Itzamna. Quelqu'un a-t-il une idée?
Tous se mirent à réfléchir. Ah Kin Xooc demanda la parole et dit:
– Je crois que j'ai trouvé. Nous parviendrons sans aucun doute à rendre les hommes heureux, mais il faut que chacun de nous apporte sa contribution.
Les dieux acceptèrent.
– Kukulkan, dieu du Vent, il faut que tu me donnes le murmure des ruisseaux et le frémissement des champs de maïs, poursuivit Ah Kin Xooc. Toi, Chaac, dieu de l'Eau, apporte-moi le chant de la pluie, et toi, Yunmchaac, dieu des Mers, le mugissement des vagues. Khan Puccikal, dieu de la Nuit, va me chercher le bruissement des arbres quand le vent caresse leur feuillage dans l'obscurité.
Enfin, Ah Kin Xooc se tourna vers le dieu des Oiseaux:
– Wayom Chichichch, ramène-moi les plus beaux chants que les oiseaux t'aient donnés.

Les dieux firent ce qu'Ah Kin Xooc leur avait demandé. Celui-ci mit tous leurs dons dans une cruche qu'il secoua vigoureusement avant de la poser délicatement sur le sol. Pris de curiosité, les dieux se penchèrent sur la cruche. Peu à peu, des sons s'en échappèrent comme jamais personne n'en avait entendu.

C'était un mélange de rires, de pleurs, de sons infiniment doux qui, mêlés les uns aux autres, formaient une telle harmonie que le visage des dieux s'illumina d'un sourire.

– Et maintenant, que va-t-il se passer? voulurent-ils savoir.

– Je vais appeler cela la musique, dit Ah Kin Xooc avant de leur montrer qu'on pouvait imiter ces sons dans toute leur harmonie avec la voix.

À nouveau, les dieux sourirent. Ah Kin Xooc descendit sur la Terre et offrit la musique aux hommes. À partir de ce jour, ils oublièrent la tristesse et furent capables de sentir et de comprendre la beauté du monde. Itzamna était si heureux qu'il donna un nouveau nom à Ah Kin Xooc: prince des chanteurs et des musiciens. Ah Kin Xooc méritait bien cet éloge car, sans lui, la musique n'existerait pas sur la Terre.

Source: Xan López Domínguez, dans *Le grand livre de contes de l'Unicef*, p. 26-27. © Éditions Gallimard Jeunesse (coll. Albums Jeunesse), 1996.

Les maisons de Paola

Paola se promène à vélo. Tout à coup, elle aperçoit une grosse boîte de carton sur le trottoir. La boîte est vide, complètement vide. Paola transporte la boîte dans le champ derrière la maison. Elle s'en fait une jolie cabane.

Mais soudain, TOC ! TOC ! TOC !, un lièvre frappe à la porte en disant :

– Nous avons froid. Pouvons-nous nous réchauffer, ma famille et moi ?

– Bien sûr, répond Paola.

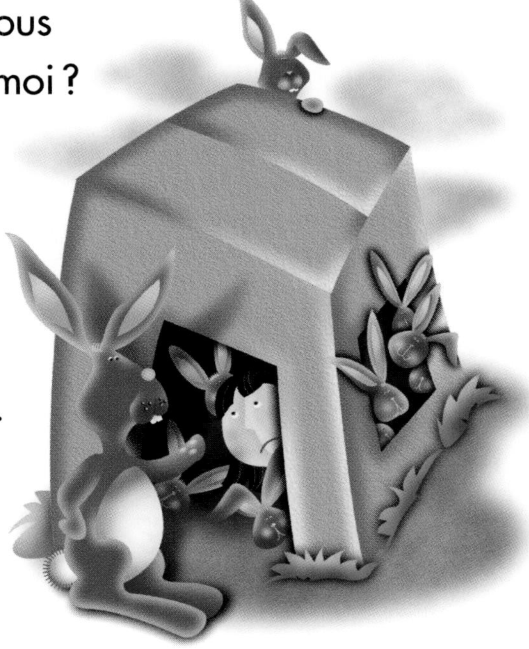

Le lièvre fait entrer tous ses enfants dans la cabane de Paola. Ils sont si nombreux que Paola ne peut plus bouger.

Alors, Paola a une idée.
Elle monte sur son vélo
et elle arpente les rues,
les parcs et les ruelles.
Elle trouve plusieurs grosses boîtes et elle fabrique une maison pour chacun des lièvres.

Les lièvres n'ont plus froid. Ils se tiennent bien au chaud dans les jolies cabanes de Paola. Tout est bien qui finit bien.

Gilles Tibo

Je comprends ce que je lis

1. a) Quel est le nom de la petite fille ?
   b) Donne deux adjectifs pour décrire la boîte au début de l'histoire.
   c) Que fait la petite fille avec cette boîte ?

2. a) Où est la cabane ?
   b) Qui frappe à la porte ?
   c) Qui entre dans la cabane de Paola ?

3. a) Quel est le moyen de transport utilisé par Paola ?
   b) Où Paola trouve-t-elle des boîtes vides ?
   c) Que fait Paola avec les boîtes vides ?

Je révise des sons

chandail	éventail	rayon	travail
écureuil	moyen	soleil	voyage
épouvantail	orteil	sommeil	yeux

Je sais orthographier

aussi	heureuse	joyeuse	sous
beaucoup	heureux	joyeux	souvent
deuxième (2e)	il y a	pays	voici
devenir	jamais	puis	voilà
feuille	journée	semaine	vouloir

J'en apprends plus sur le pluriel des adjectifs

► J'observe les mots soulignés :

– *une grosse boîte*
– *plusieurs grosses boîtes*
– *une jolie cabane*
– *des jolies cabanes*

► Je remarque que :

- l'adjectif peut être singulier (ex. : *grosse, jolie*) ou pluriel (ex. : *grosses, jolies*).
- en général, on ajoute un « s » à l'adjectif singulier pour obtenir l'adjectif pluriel :
  – *grosse* ⟶ *grosses* – *jolie* ⟶ *jolies*
- c'est le nom auquel il se rapporte qui détermine la forme de l'adjectif.

Je sais écrire

Imagine-toi en vélo. Tu arpentes les rues, les parcs et les ruelles. Tout à coup… Imagine la suite.

Une simple question d'écologie

Marilou veut sensibiliser les gens de son entourage à l'importance de respecter l'environnement. Aide-la à trouver des situations et des comportements qui peuvent être corrigés.

Notre belle planète bleue

Découvre ce qui caractérise notre belle planète bleue, la Terre.

L'histoire de Flora

Flora est une petite fleur annuelle. Reconstitue les étapes de croissance de cette belle fleur.

Récupérons pour préserver la planète

Récupérer des matières comme le papier, le verre, le plastique ou le métal aide à protéger l'environnement. Tu devras mettre sur pied un projet de récupération.

En grand groupe

Pourquoi concevoir un projet de récupération :
- pour sensibiliser les élèves de l'école ?
- pour s'amuser dans un projet de création ?
- pour contribuer à la protection de l'environnement ?

Y a-t-il d'autres raisons ?

Les élèves de la classe d'Ali ont trouvé plusieurs idées de projets. Voici ce qu'ils ont déposé dans la boîte à suggestions :

Préparer une exposition d'objets faits à partir de matériaux de récupération.

Créer du papier à dessin à partir de papier journal.

Planifier une collecte de canettes afin de ramasser des fonds pour une sortie.

Réaliser un projet collectif en arts plastiques en utilisant des matériaux de récupération.

Boîte à suggestions

Que voulez-vous faire ?

En petites équipes

1. Décidez du projet de récupération que vous désirez mettre sur pied.
2. À qui désirez-vous présenter votre projet :
   - aux autres élèves et au personnel de l'école ?
   - à vos parents ?
   - aux gens du quartier ?
3. Quand souhaitez-vous réaliser le projet :
   - tout au long du module ?
   - pendant la semaine de l'environnement ?
4. Planifiez les étapes de réalisation.
5. Déterminez le rôle de chacun et chacune.
6. Récupérez le matériel nécessaire.
7. Réalisez votre projet.
8. Présentez votre projet.

Individuellement

 Évalue ton travail.

J'accepte les idées des autres.   

Je participe à l'organisation du projet.   

J'assume mes responsabilités au sein de mon équipe.   

Bravo la vie !

Alex Jutras, 7 ans

À la manière de Berthe Morisot

Imagine un peu :
un bateau, un capitaine,
des animaux...
des milliers d'animaux.
Imagine des cris... toutes
sortes de cris.

Découvre le grand-père Noé
tout en chantant.

Notre grand-père Noé

1. C'est notre grand-père Noé,
un bon capitaine,
qui jadis a navigué
en terre lointaine.
Il se fit faire un bateau
pour se préserver de l'eau,
qui fut son, son, son,
qui fut re, re, re,
qui fut son,
qui fut re,
qui fut son refuge
pendant le déluge.

2. Devant la montée des flots,
Noé se démène
pour que tous les animaux
chez lui se ramènent.
Bientôt, les chats et les chiens,
les moutons et les lapins,
toutes les pe, pe,
toutes les ti, ti,
les pe, pe,
les ti, ti,
les petites bêtes
étaient de la fête.

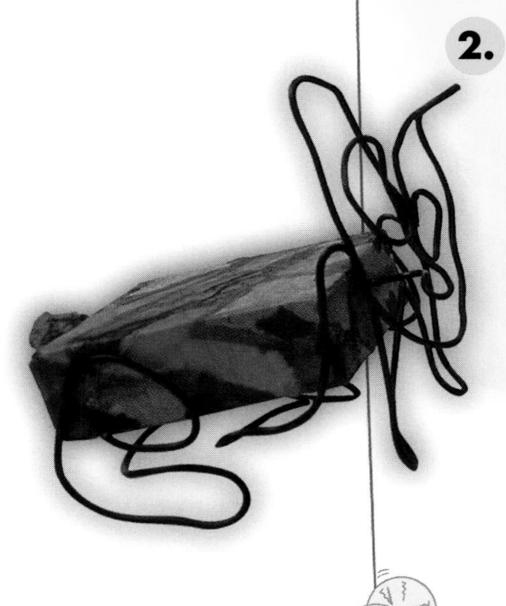

3. Les chevaux, les éléphants
et les crocodiles,
les gazelles et les serpents
et les gros gorilles,
Noé les a rassemblés
et puis les a fait monter
dans sa ga, ga, ga,
dans sa lè, lè, lè,
dans sa ga,
dans sa lè,
dans sa belle galère
pour une croisière.

4. Lorsque la pluie a cessé,
après des semaines,
le grand bateau s'est posé
dans la vaste plaine
et Noé a libéré
ses milliers de passagers
afin de re, re,
afin de pe, pe,
de repeu, de repeu,
repeupler la terre,
notre bonne mère. (bis)

Chanson traditionnelle
Version d'Henriette Major

Avec les autres élèves de la classe, illustre le bateau de Noé et ses animaux.

C'est sous la forme d'un œuf logé à l'intérieur du corps de la mère que commence généralement une nouvelle vie.

Lis pour en connaître un peu plus sur la naissance des êtres vivants.

La naissance des animaux

Certains animaux sont des ovipares.
Ils pondent des œufs d'où sortent ensuite leurs petits.

Chez la plupart des insectes, par exemple le monarque, les femelles pondent leurs œufs dans la nature et les abandonnent. Les œufs sont souvent déposés dans un endroit où, une fois sorti de l'œuf, l'insecte pourra se nourrir.

Comme les autres poissons, le barbus-clown pond ses œufs dans l'eau. La plupart des œufs seront dévorés avant l'éclosion par divers animaux aquatiques.

Souvent, les oiseaux construisent des nids dans lesquels ils pondent des œufs. Les œufs du huard à collier, par exemple, sont couvés à tour de rôle par le mâle et la femelle.

Les êtres humains et certains animaux ne pondent pas d'œufs. Lorsque l'œuf à l'intérieur du corps de la mère est fécondé, un embryon se développe. Le bébé restera dans le corps de la mère jusqu'à la naissance.

Le kangourou ne pond pas d'œufs. Il donne naissance à son petit, qui ne mesure que deux centimètres. Le petit grimpe dans la poche ventrale de sa mère où il continue à se développer en buvant le lait maternel.

L'ourse, comme d'autres animaux, porte son ou ses petits à l'intérieur de son ventre. Le moment venu, l'ourson ou les oursons sortent du ventre de leur mère. L'ourse allaite ses petits. Elle les protège et leur donne les soins dont ils ont besoin.

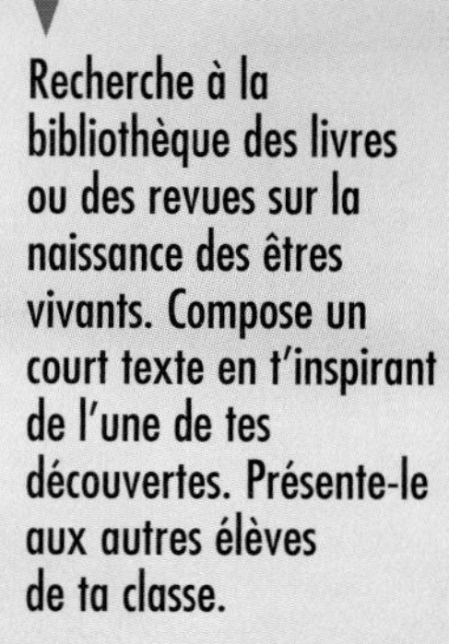

Recherche à la bibliothèque des livres ou des revues sur la naissance des êtres vivants. Compose un court texte en t'inspirant de l'une de tes découvertes. Présente-le aux autres élèves de ta classe.

Les êtres humains ne pondent pas d'œufs non plus. Pendant neuf mois, les bébés grandissent, bien au chaud, dans le ventre de leur mère.

Source : Adapté de Sally Hewitt et Dominique Françoise, *Le cycle de la vie*, p. 8-9. © Éditions Piccolia, 2000.

Une visite au musée

▼
Qui est cette femme? Que fait-elle? Imagine une histoire à son sujet.

▼
Imagine la berceuse que cette dame chante à son enfant.

Le berceau, Berthe Morisot

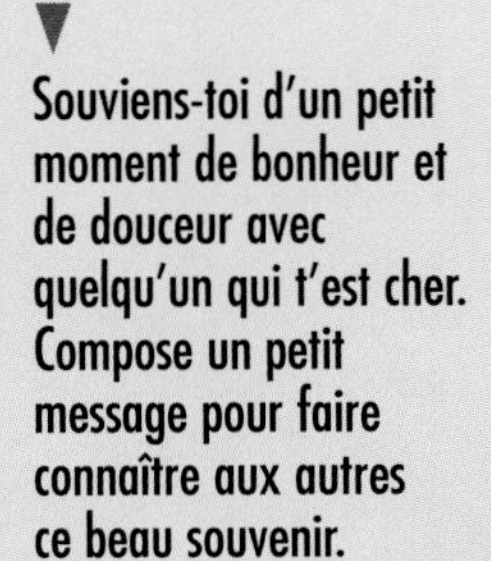

▼
Souviens-toi d'un petit moment de bonheur et de douceur avec quelqu'un qui t'est cher. Compose un petit message pour faire connaître aux autres ce beau souvenir.

Lis ce beau poème qu'une auteure a composé pour toi.

Je connais une magicienne

Je connais une magicienne
qui chasse toutes mes peines.
D'un petit coup de sa baguette,
elle retrouve même mes chaussettes.

Elle connaît toutes les formules,
les meilleures potions magiques.
Elle transforme un jour très nul
en un merveilleux pique-nique.

Une fée vient chaque nuit
enlever les monstres sous mon lit.
Elle m'embrasse sur la joue
et je n'ai plus peur du tout.

Elle a un sourire très doux
qui chasse tous les nuages.
Elle m'appelle son petit loup,
même si je ne suis pas sage.

Il y a neuf mois, une nouvelle vie commençait dans le ventre d'une maman. Bien au chaud, le bébé était nourri et protégé. Après sa naissance, l'enfant grandira entouré de petits soins.

J'habite avec une reine
dans un tout petit château.
Chaque jour de la semaine,
c'est elle qui me lève tôt.

Elle dit que son seul trésor
vaut bien plus que des pièces d'or.
Ce sont mes yeux et mon cœur
qui la remplissent de bonheur.

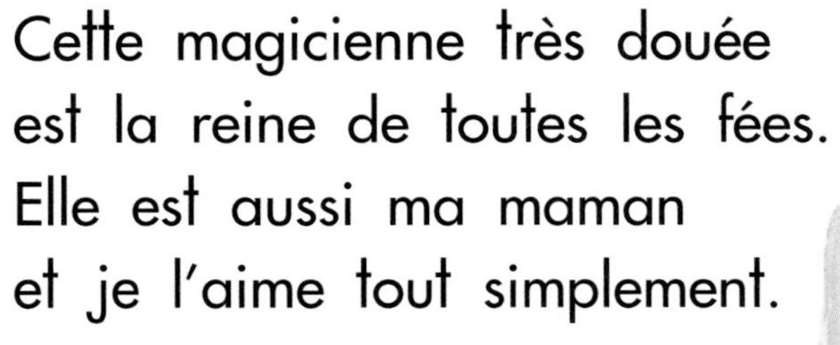

Cette magicienne très douée
est la reine de toutes les fées.
Elle est aussi ma maman
et je l'aime tout simplement.

Mireille Villeneuve

À ton tour maintenant de composer un petit poème pour une personne que tu aimes.

Lis le texte pour découvrir des parents attentionnés.

Les animaux ont plusieurs façons de prendre soin de leurs petits.

Des parents attentionnés

C'est l'hiver antarctique au pôle Sud. Sur la banquise recouverte d'un manteau blanc, les manchots empereurs se promènent.

Le manchot empereur est un des plus beaux manchots. La queue courte, le dos noir, le ventre blanc crème, il ressemble à un petit homme en habit de soirée. Sur la terre, la démarche lente et maladroite de ce grand oiseau est très drôle!

Les manchots empereurs vivent dans d'immenses colonies. Pour se retrouver, le mâle et la femelle de chaque couple ne cessent de crier. Quel brouhaha!

Au mois de mai, la maman pond un unique œuf.
Le papa le pose sur ses pieds. Il le recouvre d'un repli de la peau de son ventre pour le garder au chaud.

Pendant deux mois, les mâles couvent sans rien manger et les femelles partent pour la pêche.

Lorsque la maman revient, elle prend soin du petit poussin qui vient de naître. C'est une adorable boule de duvet gris, avec une tête toute noire et deux grosses taches blanches autour des yeux.

À l'âge de deux mois, les jeunes se rassemblent dans une immense crèche. Parfois, ils rejoignent leur papa et leur maman pour manger. Mais gare aux méchants oiseaux! Les pétrels géants et les becs-en-fourreau, véritables brigands, attendent leurs proies...

À cinq mois, les jeunes manchots sont assez grands pour aller à la mer. Hop, premier plongeon!
Ils découvrent alors l'océan, inondé d'une lumière très pure, sous un soleil féerique.

Source : Adapté de Nadine Saunier, *Le manchot empereur* (extrait). © Nathan, 1989.

Comment naît le petit du manchot? Quels sont les rôles du père et de la mère?

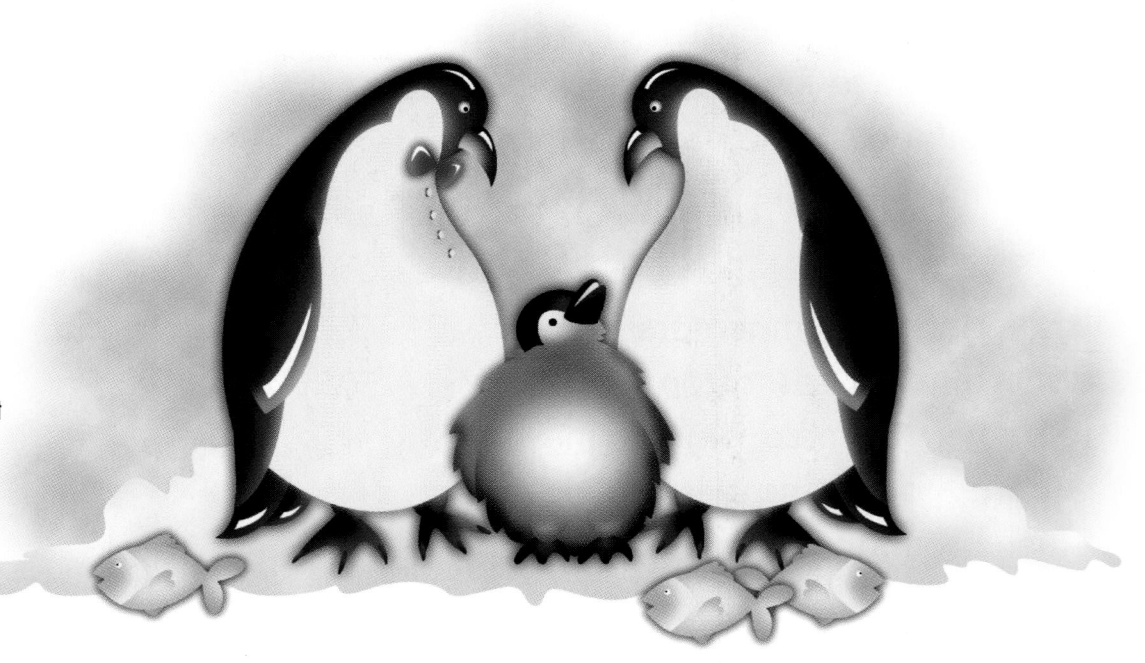

Petit Lapin

En ce beau matin printanier, Petit Lapin s'éveille et quitte le terrier familial. Il bondit d'un buisson à l'autre à la recherche de champignons.

Tout à coup, une ombre survole la forêt. Un aigle plonge du haut des airs et se précipite sur Petit Lapin. Les oreilles à l'affût, Petit Lapin s'enfuit à toute vitesse. Il se réfugie dans un des nombreux terriers qui s'enfoncent dans le sol.

Au fond du terrier, le fuyard arrive face à face avec un renard qui se pourlèche les babines. Pris de panique, Petit Lapin quitte le terrier et s'enfuit en bondissant à travers les bois.

Mais le renard est plus rapide que Petit Lapin. Juste au moment où il ouvre la gueule pour le dévorer, l'aigle s'empare du renard et il l'emporte dans son repaire.

En vitesse, Petit Lapin retourne à son terrier. Il s'endort finalement en rêvant à des aigles et à des renards qui ne mangent... que des carottes.

Gilles Tibo

Je comprends ce que je lis

1
a) Écris le nom des trois animaux mentionnés dans l'histoire.
b) Où vit Petit Lapin ?
c) À quel animal appartient l'ombre qui survole la forêt ?

2
a) Où Petit Lapin va-t-il se cacher lorsqu'il est pris en chasse ?
b) Qui Petit Lapin rencontre-t-il alors ?
c) Quelle est la réaction de Petit Lapin ?

3
a) Qui vient sauver la vie de Petit Lapin ?
b) Une fois dans son terrier, à quoi rêve Petit Lapin ?
c) Est-ce que tu t'es déjà trompé de porte en allant visiter une personne ?

Je révise des sons

aigle	glissade	plume	repli
camoufler	plongeon	remplir	simplement
éclosion	pluie	renifler	véritable

Je sais orthographier

animal
animaux
blanc
blanche
canard
cheval
chevaux
chien
chienne
classe
lire
loup
louve
monter
oiseau
plaisir
plus
poule
souris
tableau

Pour retenir l'orthographe d'un mot...

Astuce te propose un petit jeu.

1. Choisis un mot parmi ceux que tu as appris à orthographier.
2. Compose de petites questions se rapportant à l'orthographe de ce mot pour en faire un jeu-questionnaire.
3. Pose les questions à un ou une autre élève à voix haute.
   Par exemple : Parmi les mots suivants, lequel ou lesquels s'écrivent avec un « ain » ?
   a) matin   b) coquin   c) main

Je sais écrire

Formez de petites équipes de quatre élèves et placez-vous en cercle. Chaque membre de l'équipe a besoin d'une feuille de papier et d'un crayon.

1. Dessine la tête d'un animal sur ta feuille.
2. Plie la feuille de façon à cacher le dessin et passe-la à ton voisin ou à ta voisine de gauche.
3. Répète deux fois les étapes 1 et 2, d'abord en dessinant le corps de l'animal, puis en dessinant ses pattes.
4. Déplie la feuille que tu as en main et donne un nom à l'animal.
5. Compose un petit texte pour présenter cet animal farfelu.

Les animaux ont souvent été comparés aux personnes pour illustrer certains comportements. Découvre, tout en jouant, quelques qualités, bonnes ou mauvaises, que l'on associe à certains animaux.

Lis les règles pour bien comprendre le jeu.

Bête pas bête

Règles du jeu

1. Placez vos pions sur la case Départ.
2. À tour de rôle, lancez le dé et avancez votre pion.
3. Si votre pion arrive sur une case illustrée, restez sur celle-ci. Si votre pion arrive sur un groupe de mots, lisez d'abord ces mots ; puis, déplacez votre pion sur la case illustrant la caractéristique donnée.
4. Le joueur ou la joueuse qui arrive au renard en premier gagne la partie !

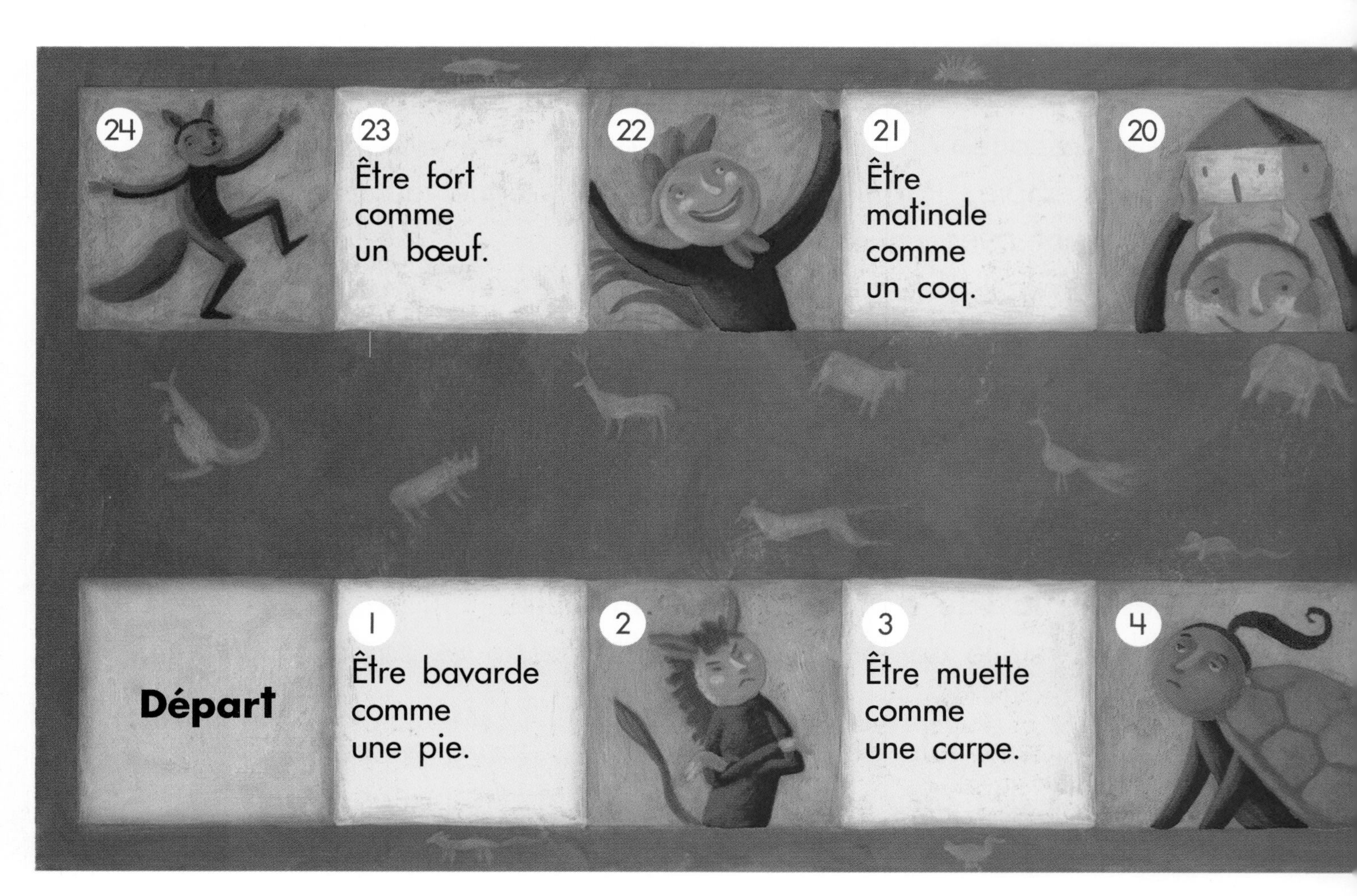

15
Être peureux comme un lièvre.
14
13
Être lente comme une tortue.
16
12
17
Être paresseuse comme une couleuvre.
11
Être doux comme un agneau.
19
Être rusé comme un renard.
18
10
9
Être sale comme un cochon.
5
Être orgueilleux comme un paon.
6
7
Être têtue comme une mule.
8

As-tu déjà entendu cette phrase : « Le chien est le meilleur ami de l'homme » ? Selon toi, d'où lui vient cette réputation ?

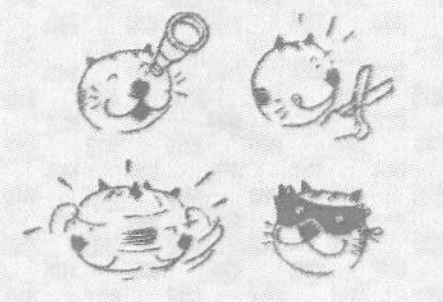

Découvre les aventures de Marie-Luce.

Le voyage de Marie-Luce

Marie-Luce a passé l'hiver sur le dos de Léo, un gros saint-bernard. Mais, au printemps, elle décide de déménager. Elle en a assez de l'épaisse fourrure de Léo.

– La prochaine fois que Léo sort dehors, je dois me trouver un nouveau manteau, se dit Marie-Luce.

Mais le gros Léo ne sort pas très souvent. Il préfère dormir au coin du feu.

Ce matin, Marie-Luce n'en peut plus d'attendre. Elle pique avec vigueur le paresseux. Léo ouvre un œil et puis les deux. Il se gratte furieusement. Sa maîtresse le regarde et fronce les sourcils.

– Va gratter tes puces dehors, dit la dame à son chien.

Dans le jardin, Léo s'installe sur une grosse pierre chauffée par le soleil. Il continue sa sieste.

– Ah non ! grogne Marie-Luce. Il ne va pas encore paresser.

À ce moment, un joli teckel s'approche de Léo. Un, deux, trois, hop ! Marie-Luce saute sur ce nouveau manteau.
– Ouyouyouille, fait Marie-Luce.
Cette fourrure de poils courts est trop piquante ! Elle s'y agrippe pourtant de toutes ses forces en mordant énergiquement dans la peau du chien.
L'animal sursaute. Il file comme une flèche jusqu'au parc. Pour se soulager, il se roule dans le sable.

Au bord du carré de sable, un caniche joue avec des enfants. Il porte une belle fourrure bouclée. Marie-Luce n'hésite pas un instant. Elle quitte le teckel piquant et bondit sur l'oreille du caniche, que son jeune maître appelle César.
Marie-Luce passe des jours merveilleux. Elle se multiplie à l'infini dans les douces frisettes de César. Mais, un jour, le jeune maître du chien découvre Marie-Luce. On met aussitôt quelques gouttes d'un produit anti-puces sur la nuque de César. Marie-Luce et ses enfants se sauvent alors à toute vitesse.
Où est Marie-Luce maintenant ? Elle loge sur un mignon fox-terrier. Ensemble, ils ont pris l'avion...

Mireille Villeneuve

Qui est Marie-Luce ?

Résume l'histoire de Marie-Luce. Pour cela, compose une ou deux phrases pour chaque illustration.

Observe les paysages derrière les animaux. En quoi sont-ils différents ?

Lis pour en connaître un peu plus sur la capacité d'adaptation de quelques animaux.

Des animaux qui s'adaptent

La gerboise creuse des galeries tapissées d'herbe sèche. Elle reste toute la journée dans son terrier pour se protéger de la chaleur. La nuit, elle sort pour manger.

Le renard polaire est parfaitement adapté au climat arctique. Son épais manteau est très chaud. Entre ses doigts se trouvent de longs poils qui le protègent des engelures. La forme assez courte de ses oreilles et de son museau l'aide à garder la chaleur de son corps.

Dans les mers froides, la baleine bleue se gave de crevettes. Son épaisse couche de graisse la protège contre le froid. Pour la naissance de son petit, la baleine bleue part vers les mers plus chaudes.

La vigogne est capable de vivre sur des sommets de montagnes où l'air est extrêmement rare. Sa fourrure laineuse la protège du froid. Ses poumons sont si gros qu'ils peuvent contenir une grande quantité d'oxygène. Cet animal peut même courir à une vitesse de 45 kilomètres à l'heure. C'est vraiment le champion de l'endurance physique.

La marmotte passe une grande partie de la journée à manger de l'herbe. À l'automne, elle rentre dans son terrier et prépare son tapis d'herbe sèche. Elle dormira bien au chaud, sa graisse lui servant de nourriture pour l'hiver.

Le paresseux porte bien son nom. Il dort 18 heures par jour, suspendu à un arbre. Il vit dans des endroits chauds et humides. Il évite toute perte d'énergie en ne bougeant presque pas et en mangeant les feuilles qui sont près de lui. Quand il n'y a plus de feuilles à sa portée, il monte plus haut ou il change d'arbre.

▼
Connais-tu des animaux qui utilisent d'autres moyens pour se protéger du froid ou de la chaleur ? Si tu n'en connais pas, fais une petite recherche. Prépare une fiche d'identification pour nous présenter un de ces animaux.

Lis le texte pour en connaître un peu plus sur le rôle des vétérinaires et sur quelques animaux domestiques.

Plus près de nous, dans nos maisons, on trouve des animaux comme les chiens, les chats ou les souris. Chaque animal a ses particularités.

Chez la vétérinaire

La vétérinaire soigne les animaux. Elle donne aussi des renseignements sur les animaux ou sur la façon d'en prendre soin. Voici des cartes d'identité créées par la vétérinaire.

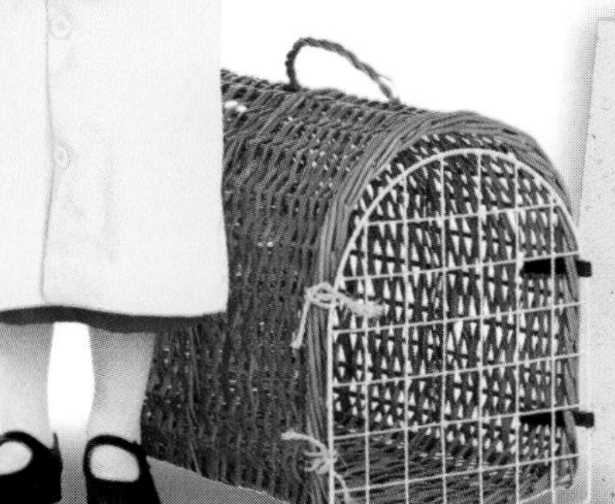

CARTE D'IDENTITÉ

Nom : Astuce

Famille : Le chat fait partie de la famille des félidés. Le lion est son cousin !

Vie : Il est adulte vers 8 mois et peut vivre jusqu'à 15 ans environ.

Passe-temps favori : Il adore dormir !

Signature : 

CARTE D'IDENTITÉ

Nom : Coquin

Famille : Le chien fait partie de la famille des canidés, comme le loup et le renard.

Vie : Il est adulte vers 9 mois et peut vivre, selon la race, jusqu'à 15 ans environ.

Passe-temps favori : Il adore jouer à la balle !

Signature : 

CARTE D'IDENTITÉ

Nom :

Famille : La souris est un rongeur, comme l'écureuil et le rat.

Vie : Elle ne vit pas plus de deux ans.

Passe-temps favori : Elle aime s'amuser dans des manèges ou des roues !

Signature :

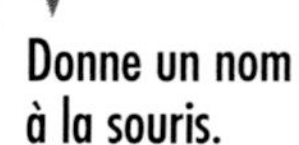

▼ Donne un nom à la souris.

▼ Prépare une carte d'identité pour un autre animal domestique.

Petit conseil de la vétérinaire

Il est important de faire examiner son animal de compagnie chaque année. L'examen annuel permet de s'assurer du bon état de santé de l'animal. Mieux vaut prévenir que guérir !

Lire pour rire

Dormir avec Milou

– C'est l'heure d'aller te préparer pour le lit, dit Axel, la gardienne.
– Est-ce que mon chien Milou peut venir coucher avec moi ce soir ? demande Delphine.
– Je ne crois pas que tes parents soient d'accord...

Axel regarde sa petite Delphine adorée qui fait la moue. Milou, lui, agite la queue d'excitation, comme s'il avait compris.
– Allez, dis oui, Axel, insiste Delphine. J'ai des choses à lui raconter.
– Pourquoi ne me les racontes-tu pas à moi ? demande Axel.
Delphine ne répond pas.
– Bon, d'accord pour ce soir, dit Axel. Mais, allez vite, il est déjà tard.

Delphine est seule dans sa chambre avec Milou. Le moment est propice aux confidences.
– Tu sais, Milou, j'ai eu une dure journée aujourd'hui. Je me suis disputée avec Tommy, mon meilleur ami. Il m'a accusée de lui avoir volé sa boîte à lunch. Mais ce n'était pas moi. J'étais furieuse. Je l'ai bousculé. Finalement, tu sais quoi ? C'est notre taquin de concierge qui avait caché le dîner de Tommy. Il aime bien nous faire des blagues.
Delphine continue.
– Tommy ne m'a plus parlé de la journée. Et je suis rentrée seule de l'école. Milou, est-ce que tu m'écoutes ?
Milou émet un petit grognement.
– Milou, tu dors ! Même Milou ne m'écoute pas !
Puis, Delphine a une idée.
– Axel, est-ce que tu peux venir ici une minute ? Euh... je cherche un pyjama.

Robert Soulières

Je comprends ce que je lis

1. a) Quel est le rôle de chacun des personnages suivants ?
   - Milou.
   - Tommy.
   - Delphine.

   b) À quel moment de la journée se passe cette histoire ?
   c) Où se passe cette histoire ?

2. a) Quel est le problème ?
   b) Selon toi, le concierge a-t-il eu une bonne idée ?
   c) Comment se sentait Delphine à la sortie de l'école ?

3. a) Explique la phrase suivante : « Le moment est propice aux confidences. »
   b) Selon toi, qui aidera Delphine à régler son problème ?

4. Et toi, à qui aimes-tu te confier ?

Je révise des sons

arbre	crapaud	gratter	printemps
autruche	crinière	griffe	protéger
couleuvre	dromadaire	ouvrir	vivre

Je sais orthographier

bras	grise	œufs	propre
fenêtre	gros	paire	quand
frère	grosse	pauvre	toujours
fruit	livre	premier (1er)	train
gris	œuf	première (1re)	très

J'en apprends plus sur **l'adjectif**

Astuce te propose un petit exercice.

Trouve des adjectifs pouvant convenir :
a) à Milou, le chien de Delphine.
b) à Axel, la gardienne.
c) aux parents de Delphine.

Écris tes adjectifs sur une feuille. Ajoute à chacun un déterminant et un nom. Comme dans les exemples suivants, indique le genre (masculin ou féminin) et le nombre (singulier ou pluriel) du nom auquel chaque adjectif se rapporte.

Exemples :

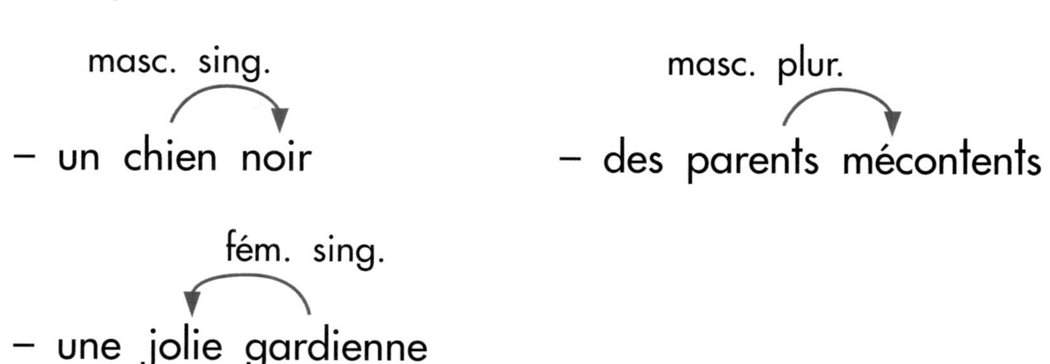

Naissances

Tous les animaux ne donnent pas naissance à leurs petits de la même façon. Fais d'autres belles découvertes à ce sujet.

Sondage sur les animaux domestiques

Marilou se demande quels animaux domestiques ses camarades de classe ont à la maison. Elle leur demande donc de répondre à un petit questionnaire sur le sujet. Fais de même avec tes camarades de classe.

Comparaisons animalières

Les animaux ont des traits de caractère qui sont associés aux comportements des êtres humains. Amuse-toi à jumeler une image avec une expression.

Une grande foire du livre

Astuce et ses amis t'ont fait découvrir la lecture sous toutes ses formes. Depuis près de deux ans, tu as apprivoisé la lecture à travers les chansons, les poèmes, les contes... Avec les autres élèves de ta classe, vous allez maintenant organiser une grande foire du livre.

Les élèves de la classe d'Ali et de Marilou ont pensé mettre sur pied différentes activités dans le cadre de ce projet de grande foire du livre :

- inviter un auteur ou une auteure ;
- inviter un conteur ou une conteuse ;
- organiser une exposition de livres, de revues ou d'albums préférés ;
- échanger des coups de cœur pour l'été qui vient.

En grand groupe

Pourquoi organiser une foire du livre :
- pour partager ses goûts et ses découvertes ?
- pour faire découvrir les métiers et professions en lien avec le livre ?
- pour faire connaître ses livres préférés ?

Donnez votre opinion à ce sujet.

Que voulez-vous faire ? Quand souhaitez-vous réaliser le projet ?

Qui voulez-vous inviter à la foire du livre :
- les autres élèves et le personnel de l'école ?
- vos parents ?

En petites équipes

Choisissez une activité. De quoi avez-vous besoin ? Comment allez-vous partager les tâches ? Déterminez le rôle de chacun et chacune.

Réalisez votre projet.

Individuellement

Évalue ton travail.

Je partage mes réactions, mes sentiments, mes impressions.

J'aide à la planification de la foire.

Je joue mon rôle dans l'équipe et je respecte celui de chacun des autres membres.

Module 20

Au revoir Astuce

Groupe de l'école du Mai

À la manière de Matisse

Les vacances d'été arrivent. Ce sera bientôt le temps de se reposer. Astuce ira à la montagne, au chalet de son ami Jean.

Lis cette chanson qui te raconte l'histoire du chalet de Jean.

Le vieux chalet

1. Là-haut sur la montagne,
il y avait un vieux chalet.
Murs blancs, toit de bardeaux,
devant la porte, un vieux bouleau.
Là-haut sur la montagne,
il y avait un vieux chalet.

2. Là-haut sur la montagne
croula le vieux chalet.
La neige et les rochers
s'étaient unis pour l'arracher.
Là-haut sur la montagne
croula le vieux chalet.

3. Là-haut sur la montagne,
quand Jean vint au chalet
pleura de tout son cœur
sur les débris de son bonheur.
Là-haut sur la montagne,
quand Jean vint au chalet.

4. Là-haut sur la montagne,
il y a un nouveau chalet,
car Jean d'un cœur vaillant
l'a rebâti plus beau qu'avant.
Là-haut sur la montagne,
il y a un nouveau chalet.

Chanson traditionnelle

▼ As-tu, comme Astuce, des projets pour les vacances ? Raconte ce que tu aimes faire pendant les vacances d'été.

Astuce tient à te présenter lui-même ce dernier module. Lis la lettre qu'il t'a écrite.

Tu as lu de nombreux textes dans *Astuce et compagnie.* Nomme quelques-uns de tes textes préférés.

Un petit mot d'Astuce

Bonjour,

Depuis un ou deux ans, je travaille avec toi. Comme toi, je partirai bientôt en vacances. Un joli chalet à la montagne m'attend. Il y aura là-bas des enfants avec qui je pourrai jouer. Si je ne suis pas trop paresseux, je les suivrai dans leurs randonnées. Qui sait ? Je ferai peut-être des rencontres intéressantes. Et si je te croise sur les sentiers de la montagne, quelle joie j'aurai !

Avant de te quitter, je veux m'assurer que tu connais bien les compagnons de mon espèce. Dans ce module, on te présente différents textes qui parlent de nous : un texte informatif pour te livrer quelques-uns de nos secrets, une belle histoire pour te divertir, une bande dessinée pour te faire rire, un conte à écouter pour t'amener au bord de la mer et des poèmes pour te faire rêver.

Mon vœu le plus cher est que toutes ces lectures soient pour toi une occasion de plus de ressentir le grand bonheur de lire.

Bonnes lectures,

Astuce

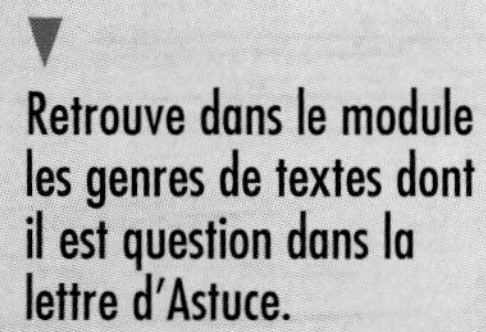

Retrouve dans le module les genres de textes dont il est question dans la lettre d'Astuce.

Découvre différentes façons de représenter le chat.

Depuis très longtemps, les artistes ont comme sujet le chat. Aussi, on trouve souvent le chat en publicité, en peinture, en sculpture. Et, bien sûr, le chat est un animal vedette de la littérature pour enfants.

Chats d'ici et d'ailleurs

Petit chat perdu

Un petit chat perdu
pleure devant ma porte.
Il est boueux et nu
comme une feuille morte.

Petit chat de nulle part,
venu de nulle part,
tu as, comme l'automne,
des yeux gris de brouillard.

Et plus tu m'apitoies
en miaulant ta peine,
plus j'ai peur qu'on te noie,
demain, dans la fontaine.

Petit chat nu, boueux
comme une feuille morte,
tu peux sécher tes yeux:
je t'ouvre grand ma porte.

Source: Pierre Coran, *Chats qui riment et rimes à chats*, p. 48-49. © Éditions Hurtubise HMH (coll. Plus), Montréal, 1994.

Artiste: Auguste Renoir

A-t-on rencontré
un chat pelé?
A-t-on déjà vu
un chat barbu?
A-t-on ramassé
un chat barbouillé?
Si quelqu'un le voit,
il est à moi.

Source: Henriette Major, *100 comptines*, p. 51. Éditions Fides, Montréal, 1999. © Copibec.

Artiste: Baltimore Loth

Artiste : Patricia Vincent

Le chat et le soleil

Le chat ouvrit les yeux,
le soleil y entra.
Le chat ferma les yeux,
le soleil y resta.

Voilà pourquoi le soir,
quand le chat se réveille,
j'aperçois dans le noir
deux morceaux de soleil.

Source : Maurice Carême, *L'Arlequin*, Nathan, Paris, 1970.

Quand le chat…

Quand
le chat
met ses
chaussettes,
c'est
la fête
aux souricettes.

Quand
le chat
joue au
cerceau,
c'est
la fête
aux souriceaux.

Source : Jean-Luc Moreau, *Poèmes de La souris verte*, p. 46.

Artiste : Alberto Giacometti

Voilà ! Le jour est presque fini.
Chacun se prépare au repos
et aux doux rêves de la nuit.
Deux cabrioles pour être bien dispos.
Le chat bâille et s'installe sur mon lit,
et moi je dors sur le tapis.

Source : Monika Beisner, *Sens dessus dessous*, p. 31 (trad. : C. Lauriot Prévost).

Artiste : Steeve Lapierre

Chat

Artiste : Nicolas Debon

Et toi, comment aimerais-tu représenter le chat ?

Source : Joël Sadeler, *Les animaux font leur cirque*. © Éditions Gallimard Jeunesse (coll. Enfance en poésie), 2000.

▼
Que sais-tu des chats ? Sans doute beaucoup de choses… Mais il y a sûrement des questions que tu te poses parfois.

Astuce veut être certain que tu comprends bien les comportements des chats. Lis le texte dans lequel il se met en vedette.

Le chat en six leçons

Chut !
Je sors…

Vie nocturne

Si le chat demande souvent à sortir le soir, c'est que c'est un animal nocturne. Il aime vagabonder la nuit. Il rentre à la maison au petit matin pour dormir.

Chat heureux !

Dès qu'il voit son maître, le chat dresse ses oreilles et relève sa queue. Cela veut dire qu'il est content.

Gros câlin

Quand on le caresse, le chat ronronne. En fait, les caresses lui rappellent les coups de langue de sa mère, quand il était encore un chaton. C'est un grand moment de plaisir.

Grosse colère

Quand le chat rencontre un intrus, il hérisse ses poils et pousse des feulements impressionnants. Ainsi, il paraît plus gros et il a des chances d'effrayer son adversaire.

Échange d'odeurs

Quand le chat se frotte contre les jambes de son maître, il dépose son odeur sur lui. Il a des glandes odorantes près de ses oreilles et de sa bouche. Il en profite pour se parfumer à l'odeur de son maître.

Exercice de chasse

Soudain, le chat se met à ramper sur le sol : il joue à chasser pour s'entraîner. Pour traquer sa proie, il rampe discrètement, puis il bondit sur elle.

Source : Adapté d'*Astrapi*, n° 496, novembre 1999 (texte : A.-S. Chillard ; ill. originales : M. Berthommier).

▼ Qu'est-ce qui t'a le plus surpris ou surprise dans ce que tu viens de lire ? Lesquels de ces comportements avais-tu déjà observés ?

Il existe une grande variété de chats. La dimension, la forme et la couleur de chacune des parties de leur corps peuvent être différentes. Mais, peu importe son apparence, le chat a besoin d'affection!

Lis le texte pour connaître un chat un peu différent.

Je suis un chat bleu

Je suis un chat, un chat bleu.
Oui, bleu! Vous trouvez ça bizarre? Moi, je me trouve joli. Ce n'est pas l'avis de tout le monde, je le sais.
Dès ma naissance, la fermière m'a jeté dans une bassine d'eau pleine de lessive. Elle espérait que j'allais déteindre au lavage.
Je suis sorti de mon bain très très propre, mais toujours très bleu.
Alors la fermière m'a donné un coup de pied. Elle a crié:
– Dehors! Ici, les toits sont rouges, l'herbe est verte, les blés sont jaunes. Et les chats doivent être gris, roux, noirs ou tigrés. Un point, c'est tout!
Alors je suis parti. Pour me nourrir, je chassais des souris. Je grimpais sur une branche ou sur un toit. Comme j'étais aussi bleu que le ciel, les souris ne me voyaient pas. Elles gambadaient de-ci de-là... Et hop! un petit bout de ciel leur tombait dessus. C'était moi!

Je suis allé voir la mer. Je pensais qu'elle m'accueillerait gentiment puisque j'étais de sa couleur. Je lui ai demandé:
– Existe-t-il des poissons bleus?
Une vague m'a répondu:
– Bien sûr! Bleu comme un poisson, c'est joli.
Mais pour un chat, c'est bizarre!
Et elle a fait exprès de me mouiller les pattes.

Je suis reparti le cœur lourd. J'ai décidé d'aller dans une grande ville.

Je suis arrivé dans une ville où toutes les maisons, dans toutes les rues, étaient exactement pareilles. Misère ! Je me suis mis à sangloter. Soudain, j'ai entendu une voix douce qui me disait :
– Joli chat bleu, console-toi !
J'ai levé les yeux. Et j'ai vu une petite fille, une petite fille comme je n'en avais jamais rencontré. Ses cheveux étaient plus roux qu'un écureuil, plus flamboyants que le soleil. Elle m'a dit :
– Tu vois, j'ai une drôle de tignasse, et pourtant je ne pleure pas !
Puis elle a ajouté :
– Je suis rousse et fière de l'être. On m'appelle Feu-de-Brousse.
Elle m'a emporté dans ses bras jusqu'au bout de la rue. Maintenant, j'ai trouvé ma maison. Bleu je suis, et bleu je resterai. Quand nous dormons, mon amie Feu-de-Brousse et moi, sa tête posée sur mon ventre, on croit voir le soleil qui flamboie dans un ciel d'été.

Source : Anne Mirman (ill. originales : É. Casté), *Je suis un chat bleu* (extrait).

▼
Quelle belle leçon Feu-de-Brousse donne-t-elle au chat bleu ?

▼
Copie une phrase du texte sur une feuille. Illustre-la.

ZZZZ
REGARDE TON CHAT! QU'EST-CE QU'IL LUI ARRIVE?
ZZZZ
HUM, IL DOIT RÊVER QU'IL CHASSE UN OISEAU OU UNE SOURIS.
TU ES SÉRIEUX?
ZZZZZ
COMME TOUS LES FÉLINS, IL A L'INSTINCT DU CHASSEUR. COMME IL N'Y A RIEN À CHASSER ICI, IL COMBLE SON BESOIN EN RÊVE!
WOW!
ZZz
LA NATURE EST BIEN FAITE!
OUI!
ZZZZ

Une histoire à écouter

Le petit fantôme du château de sable, un conte contemporain présenté par Karl

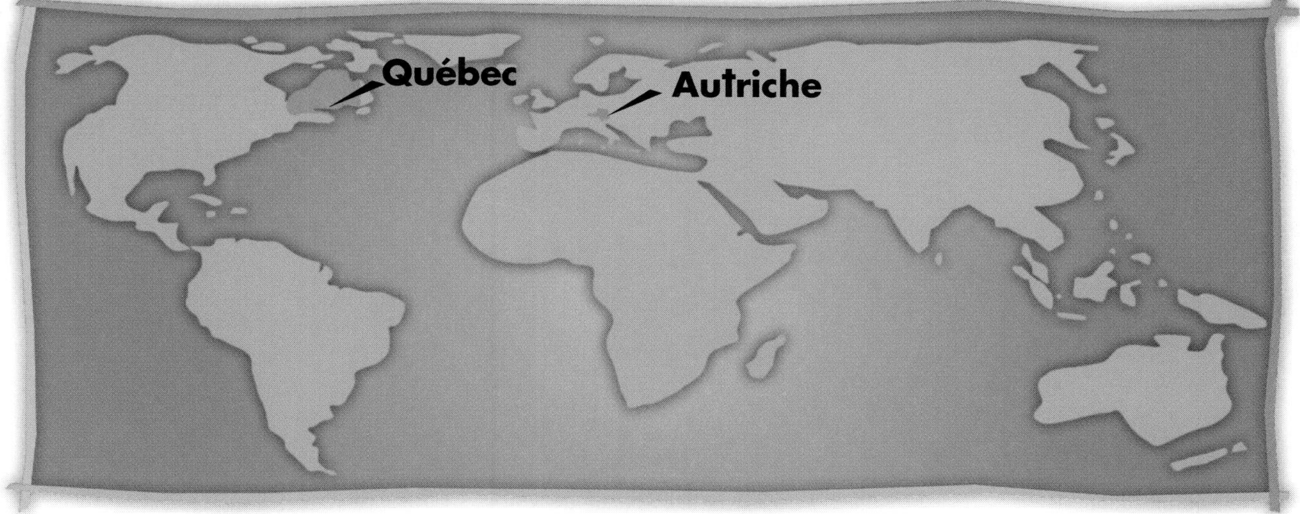

Le petit fantôme du château de sable

Il était une fois un tout petit fantôme qui vivait dans un château de sable. Celui-ci avait la taille d'un sac à dos bien rempli ; il était entouré d'épaisses murailles et d'un fossé qui était à sec. Le soleil avait brillé si fort dans la journée que toute l'eau du fossé s'était évaporée et que le château lui-même était tout lézardé.

– Mon château est le plus beau de la terre ! se disait le tout petit fantôme en montant au sommet du donjon. Il voulait regarder la Lune se lever, avant de parcourir le chemin de ronde. Je dois veiller à ce qu'aucun ennemi n'arrive. Ce n'est pas mon travail car, qui a déjà vu un fantôme surveiller le château qu'il hante ? Non, mon rôle serait plutôt de me déplacer ici et là en criant « Houououou ! » dès que je vois quelqu'un. Mais personne ne vient jamais par ici. Pas même un ennemi. D'ailleurs, je ne sais même pas à quoi ça ressemble, un ennemi.

C'était vrai, le tout petit fantôme n'avait encore jamais vu d'ennemi. Il était donc difficile qu'il puisse le reconnaître en cas de danger.
– Es-tu un ennemi ? demanda le tout petit fantôme à la Lune.
– Non, répondit la Lune, et tu n'en verras pas car, comme chacun le sait, les châteaux de sable sont en sable et ils n'intéressent personne.
– Si, moi, il m'intéresse ! répliqua le tout petit fantôme. Car c'est mon château de sable !
– Tu ferais mieux de déménager, dit la Lune. Demain, le soleil, le vent et la marée vont le manger, ton château.
– Je saurai le défendre ! répondit le tout petit fantôme.
Mais il était beaucoup trop petit. Le lendemain, le soleil, le vent et la marée firent ce que la Lune avait prédit.
– Tu vois ? dit la Lune la nuit suivante. Ne t'avais-je pas conseillé de déménager dans un château en pierre ? Le tien n'est plus qu'une ruine aujourd'hui.

– Toi aussi tu ferais bien de chercher un château en pierre. La nuit dernière quelqu'un est venu pour te grignoter un côté. Tu es beaucoup plus maigre qu'hier.

– Il en a toujours été ainsi, répondit la Lune. J'ai l'habitude d'être tantôt grosse, tantôt maigre, tantôt même invisible, bien que je sois toujours là… Mais tout cela est trop compliqué pour toi, tu es bien trop petit.

Le tout petit fantôme s'assit sur les ruines laissées par le soleil, le vent et la marée, et il fit « hou, hou, hou », en authentique fantôme qu'il était.

– Tu es vraiment un petit fantôme stupide, dit la Lune. À quoi cela te sert-il de hanter une ruine, alors qu'aujourd'hui les enfants ont construit des tas de nouveaux châteaux ? Va donc en choisir un autre !

– Je n'en veux pas d'autre, répliqua le tout petit fantôme, car mon château est le plus beau de la terre ; même si on ne le voit plus, il est toujours là en réalité. Mais tu ne comprends pas cela, toi, tu es bien trop grande. Cela ne me gêne pas de hanter un château invisible puisque, de toute façon, on ne me voit pas, moi non plus !

– Bien parlé ! dut admettre la Lune avant d'aller doucement se coucher.

Depuis, le tout petit fantôme hante chaque nuit les murailles de son château de sable invisible en poussant de joyeux « hou, hou, hou ! »

Source : Friedl Hofbauer, dans *Le grand livre de contes de l'Unicef*, p. 16-17. © Éditions Gallimard Jeunesse (coll. Albums Jeunesse), 1996.

Le chat bleu

Relis la petite histoire présentée aux pages 120 et 121 de ton manuel. Écris ensuite du texte dans les bulles d'une bande dessinée.

Un sondage sur les vacances

Que feront tes camarades pendant leurs vacances ? Iront-ils en voyage ? Feront-elles des sorties spéciales ? Fais un petit sondage.

Le clavardage

Lorsque tu as le goût de parler avec un copain ou une copine à distance, tu utilises généralement le téléphone. Mais tu pourrais aussi utiliser le **clav**ier de l'ordinateur pour faire un peu de bav**ardage**. C'est ce qu'on appelle le clavardage. Fais un petit essai.

Tu grandis

As-tu grandi ? Ton corps a-t-il subi des transformations depuis la dernière fois où tu as pris tes mesures ?

Chat : c'est beau !

On dit souvent que le chien est le meilleur ami de l'homme ! Comme on l'a vu dans ce module, le chat est également un fidèle compagnon. Choisis une façon originale de présenter le chat ou les membres de sa famille : ce sera ton projet.

Les élèves de la classe d'Ali et de Marilou ont des idées de projets plein la tête. En voici quelques-unes :

- une murale illustrant la grande famille des félidés, Astuce en vacances ou Astuce qui dit au revoir à Marilou et à Ali ;
- un spectacle de marionnettes ;
- un livret de lecture présentant les meilleurs moments vécus en classe avec Astuce ;
- une collation bonne à croquer sous la forme d'un chat ;
- un spectacle de chant et de danse pour dire au revoir à Astuce.

En grand groupe

Et vous, qu'est-ce qui vous intéresse : la lecture, les arts, les sciences… ? Comment pourriez-vous présenter le chat ou sa famille ? Qu'aimeriez-vous connaître ou faire connaître de cet animal ?

En petites équipes

1. Décidez d'un projet commun.
2. À qui souhaitez-vous présenter votre projet ?
3. Comment allez-vous vous y prendre ? De quoi aurez-vous besoin ?
4. L'aide d'une personne-ressource sera-t-elle nécessaire ? Si oui, qui pourra être cette personne ?
5. Partagez les tâches.

Allez-y maintenant ! Au travail ! Astuce est impatient de pouvoir admirer vos réalisations. N'oubliez surtout pas de l'inviter à votre présentation !

Individuellement

 Évalue ton travail.

J'utilise mes connaissances et mes habiletés pour réaliser le projet.   

J'effectue la tâche qui m'est assignée et j'aide mon équipe à réaliser le projet.   

J'explique ma démarche durant la présentation.   

Voilà une autre belle année qui se termine. Comme le temps a passé vite! C'est déjà le moment de se quitter. Amuse-toi bien pendant tes vacances. Tu l'as bien mérité.

Les cartes d'Astuce

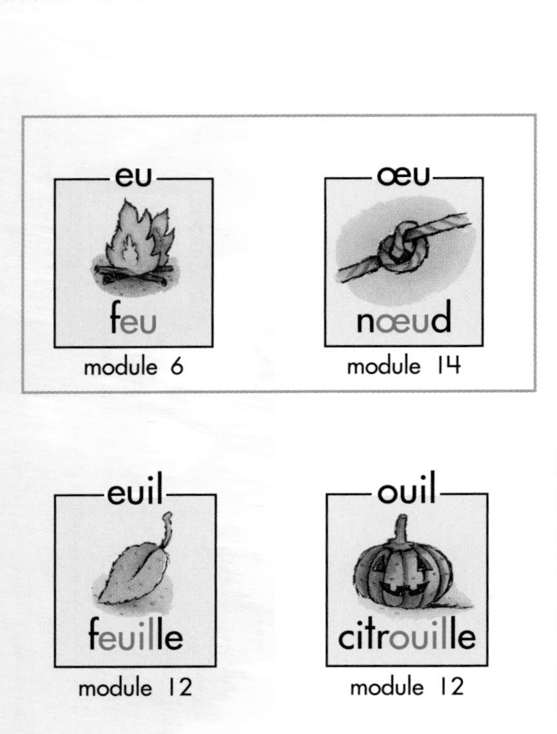

eu
feu
module 6

œu
nœud
module 14

ui
nuit
module 7

oin
foin
module 12

ill
chenille
module 12

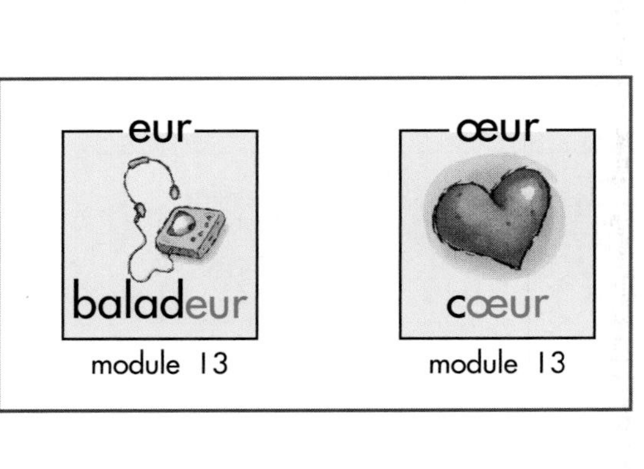

euil
feuille
module 12

ouil
citrouille
module 12

eur
baladeur
module 13

œur
cœur
module 13

er
ver
module 13

y-Y
yoyo
module 15

eil
abeille
module 15

ail
chandail
module 15

m-M
maman
module 1

p-P
papa
module 1

n-N
nez
module 2

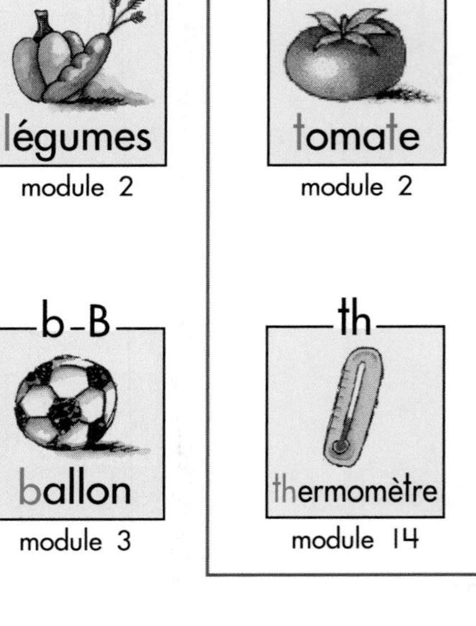

l-L
légumes
module 2

t-T
tomate
module 2

f-F
famille
module 2

ph
phoque
module 8

r-R
roue
module 2

b-B
ballon
module 3

th
thermomètre
module 14

s-S
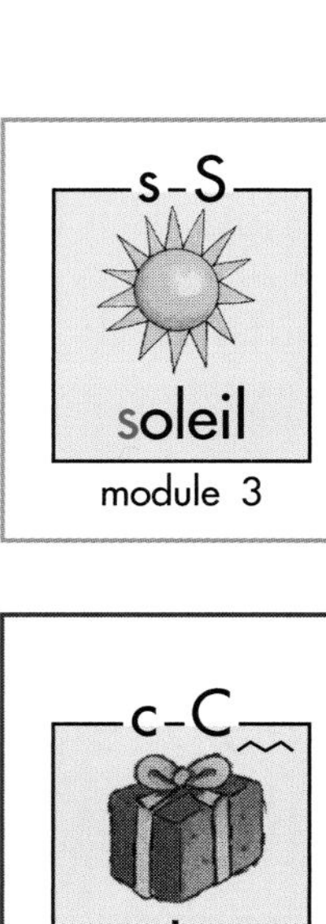
soleil
module 3

c-C
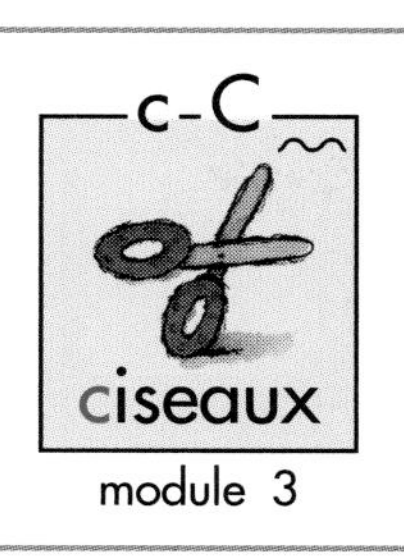
ciseaux
module 3

ç-Ç

garçon
module 3

h-H

hiver
module 4

g-G
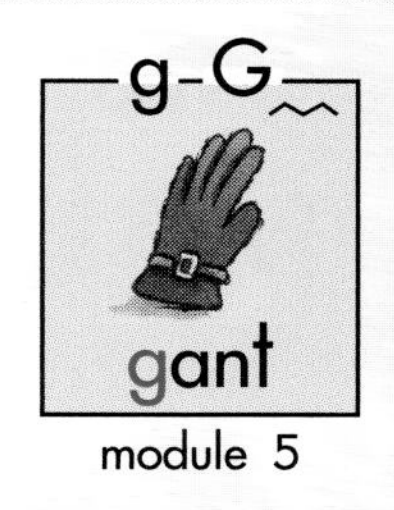
gant
module 5

c-C

cadeau
module 4

qu

quatre
module 4

k-K

koala
module 8

ch
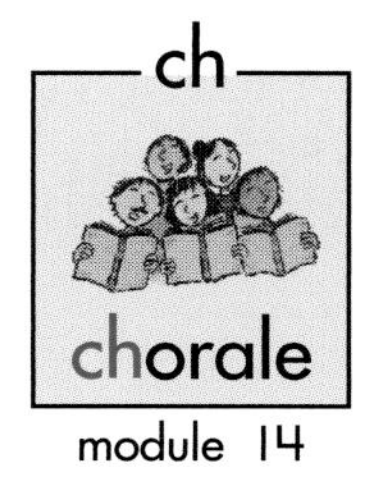
chorale
module 14

gu

guitare
module 5

g-G

géant
module 5

j-J

jambon
module 5

z-Z

zèbre
module 6

s

musique
module 6

ch

chat
module 6

v-V
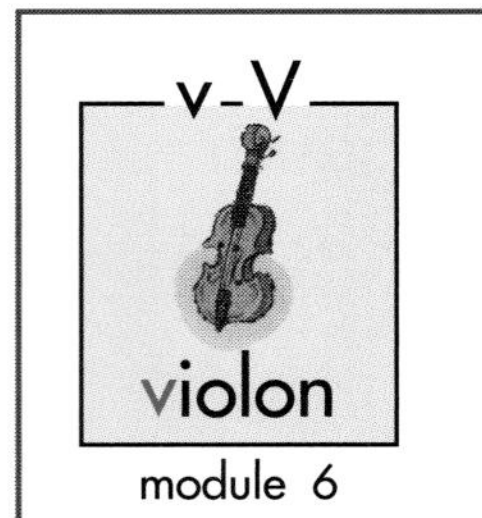
violon
module 6

w-W

wagon
module 8

x-X
xylophone
module 7

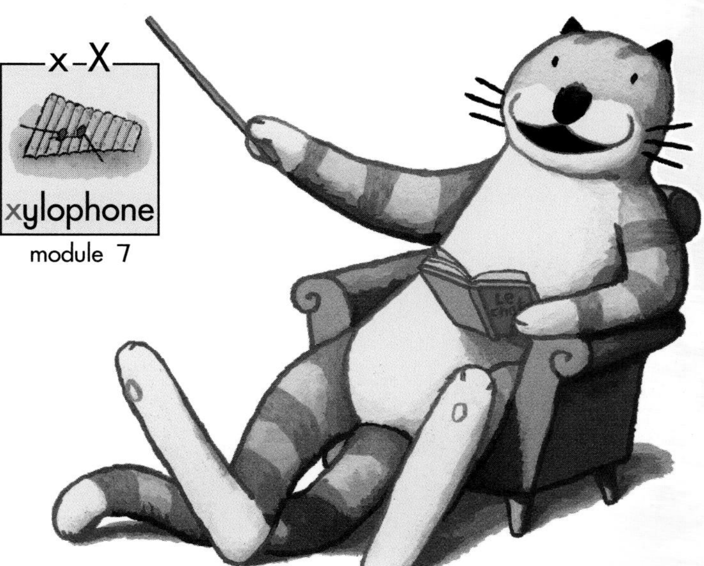

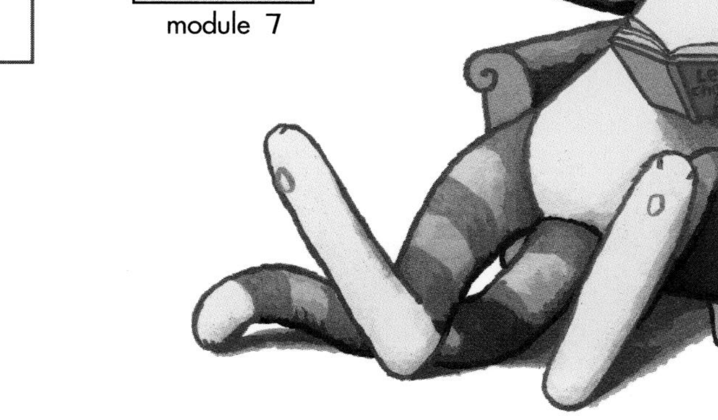

d-D

dé
module 8

gn

montagne
module 8

Le mini-dictionnaire d'Astuce

Noms communs

A
air
ami
amie
animal
animaux
arbre
auto
autobus
automne
avion

B
baladeur
balle
ballon
banane
bateau
bébé
bicyclette
boîte
bonbon
bonjour
bouche
branche
bras

C
cadeau
café
campagne
canard
carotte
carte
castor
chambre
chapeau
chat
chatte
chemin
cheval
chevaux
chèvre
chien
chienne
chocolat
chose
ciel
cinéma
cirque
ciseaux
citrouille
classe
clown
cœur
corde
corps
côté
cou
couleur
coup
cour
crayon
cri

D
dame
dé
dent
dessin
dimanche

E
eau
école
élève
enfant
été
étoile

F
face
famille
femme
fenêtre
fête
feu
feuille
figure
fille
film
fleur
fois
forêt
frère
fruit
fusée

G
garçon
glace
goutte
grand-maman
grand-mère
grand-papa
grand-père
guitare

H
heure (h)
hibou
histoire
hiver
hockey
homme

I
image

J
jambe
jambon
jardin
jeu
jeudi
joie
jour
journal
journaux
journée
jus

Noms communs (suite)

L
lac
lait
lapin
lapine
leçon
lecture
légume
lettre
lit
livre
loup
louve
lumière
lundi
lune

M
magie
main
maison
maman
marché
mardi
matin
matou
melon
mer
merci
mercredi
mère
midi
monde
montagne
mot
musique

N
nature
neige
nez
nom
nuage
nuit

O
œuf
œufs
oiseau
ombre
oncle
oreille

P
page
pain
paire
pantalon
papa
papier
patate
pays
peau
pêche
père
personne
photo
pied
place
plaisir
planète
pluie
poisson
pomme
porte
poule
poupée
prière
prince
princesse
printemps
pupitre

R
radio
reine
rêve
robe
roi
roue
route
rue

S
sac
salade
samedi
sapin
semaine
sœur
soir
soirée
soleil
sorcière
souris

T
table
tableau
tante
télévision
terre
tête
timbre
tomate
tortue
train
tulipe

V
vélo
vendredi
vent
vie
ville
violon
visage
voisin
voisine

Y
yeux

Z
zéro

Déterminants

A
au

C
chaque
cinq

D
des
deux
dix
douze
du

H
huit

L
l'
la
le
les

M
ma
mes
mon

N
neuf
nos
notre

O
onze

Q
quatorze
quatre
quinze

S
sa
seize
sept
ses
six
son

T
ta
tes
ton
tous
tout
toute
treize
trois

U
un
une

V
vos
votre

Noms propres

Ali
Astuce
Marilou
Noël

Pronoms

elle
il
j'
je
me
moi
nous
on
qui
te
toi
tu
vous

Adjectifs

A
autre

B
bas
basse
beau
belle
blanc
blanche
bleu

Adjectifs (suite)

bleue
bon
bonne
brun
brune

C
chaud
chaude
cher
chère
content
contente

D
dernier
dernière
deuxième (2e)
douce
doux

F
folle
fort
forte
fou
froid
froide

G
grand
grande
gris
grise
gros
grosse

H
haut
haute
heureuse
heureux

J
jaune
jeune
joli
jolie
joyeuse
joyeux

L
laid
laide
large
long
longue

M
malade
même

N
noir
noire
nouveau
nouvelle

O
orange

P
pauvre
petit
petite
premier (1er)
première (1re)
propre

R
rose
rouge

S
sage

V
vert
verte
vieille
vieux

Verbes

A
acheter
aimer
aller
amuser
appeler
arriver
attendre
avoir

C
chanter
chercher
coucher
courir
crier

D
découper
demander
dessiner
devenir
devoir
dire
donner
dormir

E
écouter
être

F
faire
finir

J
jouer

Verbes (suite)

L
lancer
lever
lire

M
manger
monter

O
ouvrir

P
parler
pouvoir

R
regarder
rêver

S
sauter
savoir

T
tomber

V
vouloir

Mots invariables

A
à
à côté
après
aujourd'hui
aussi
autour
avant
avec

B
beaucoup
bien

C
chez
comme

D
dans
de
demain
derrière
devant

E
en
encore
enfin
ensuite
et

H
hier

I
il y a

J
jamais

L
loin

M
mais
moins

N
ne
ne… pas
non

O
ou
oui

P
par
parce que
parfois
pas
plus
pour
pourquoi
puis

Q
quand
que

S
si
sous
souvent
sur

T
toujours
très

V
vite
voici
voilà

Astuce et l'orthographe

Il existe différentes stratégies pour retenir l'orthographe des mots. Astuce t'en propose quelques-unes.

Stratégie 1

J'observe le mot.

Moyens :

- Je remarque les particularités du mot. leçon

- J'épelle le mot que j'ai sous les yeux.

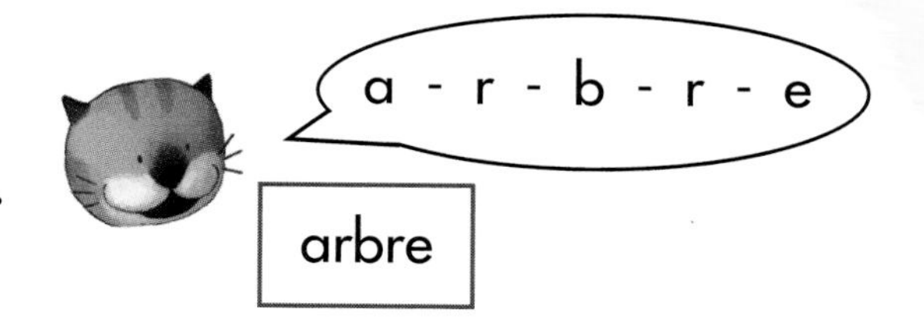

- Je regarde le mot. Puis, je ferme les yeux. J'essaie de voir le mot dans ma tête.

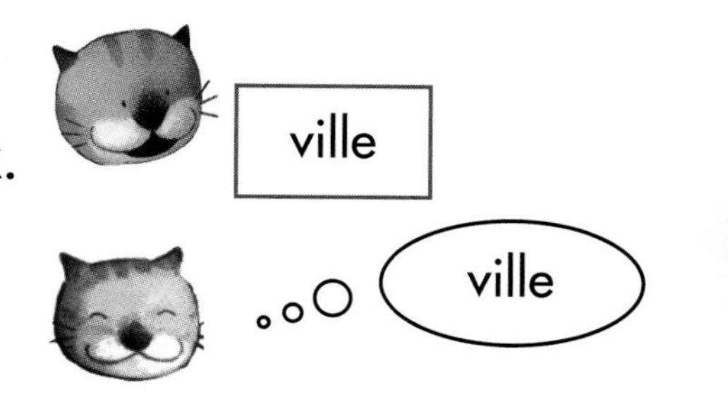

- J'écris le mot que j'ai sous les yeux.

Stratégie 2

Je fais des liens entre l'oral et l'écrit.

Moyens :

- Je compare la manière de dire le mot à la manière de l'écrire.

- Je découpe le mot en syllabes.

- Je regroupe les mots qui contiennent un même son qui s'écrit de la même façon.

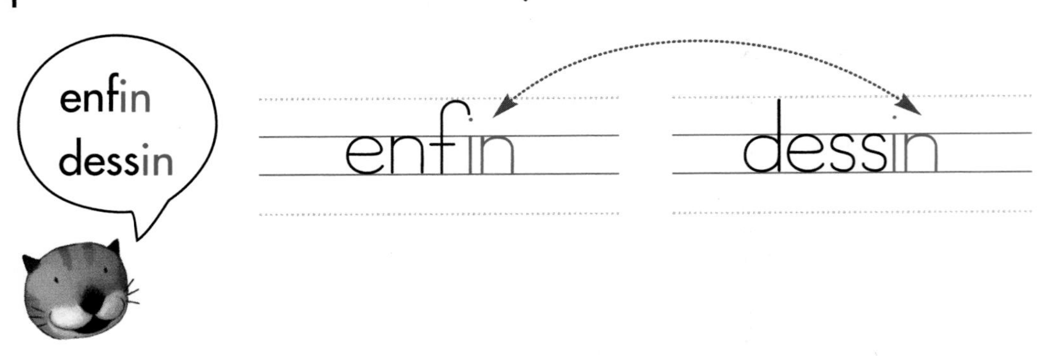

- Je remarque que le mot s'écrit comme il se prononce.

Stratégie 3

Je justifie une lettre muette (sauf le « e » final) dans un mot.

Moyens :

- Je dis le mot au féminin pour trouver la dernière lettre du mot au masculin.

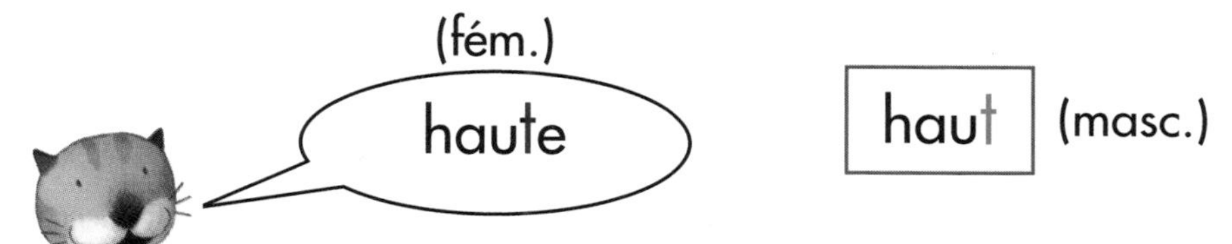

- Je pense à des mots de la même famille pour trouver la dernière lettre du mot.

Astuce et la lecture

Astuce te donne des trucs pour t'aider à mieux comprendre ta lecture.

Je prépare ma lecture :

- Je lis le titre.
- J'observe l'image.
- Je pense à ce que je sais.

Tout au cours de ma lecture :

Je reconnais le mot.

Je regarde autour du mot.

Je découpe le mot en lettres et en syllabes.

Je reconnais certains mots costumés.

Pendant et après ma lecture :

- Je vois des images.
- Je comprends ce que je lis.
- Je réagis au texte.
- Je m'évalue.